Besoins langagiers et objectifs d'apprentissage

par RENÉ RICHTERICH

RECHERCHES/APPLICATIONS

HACHETTE

Mes remerciements amicaux vont à MM. L. Porcher, B. Py, G. Redard et E. Roulet pour leur soutien et leurs conseils, à Mmes F. Dietschi, C. Ozdemir et B. Suter pour leur contribution à la mise au point du manuscrit.

ISBN 2.01.007807.1

Sommaire

1. OBJECTIFS, BESOINS ET DIDACTIQUE DES LANGUES ÉTRANGÈRES

2. LES OBJECTIFS D'APPRENTISSAGE

1. Objectifs, besoins et didactique des langues étrangères

1.1. Les composantes des systèmes d'enseignement/apprentissage

Enseigner et apprendre une langue étrangère, dans la situation classique d'enseignement/apprentissage à l'intérieur d'une institution de formation, la seule que nous envisagerons dans cette étude, c'est faire des choix et prendre des décisions, ou les subir, et agir en conséquence. Cette situation peut être caractérisée et schématisée de la manière suivante :

— Des **apprenants** sont en relation avec
— un **enseignant** pour apprendre
— des **contenus,** dans le cadre
— d'une **institution,** en vue d'atteindre
— des **objectifs,** en réalisant
— des **actions,** à l'aide
— de **moyens,** qui aboutissent à
— des **résultats.**

L'enseignement/apprentissage se définit en termes d'interactions qu'établissent des individus ou groupes d'individus entre eux et avec ce qui constitue leur environnement institutionnel. Ces interactions se traduisent par des influences qu'ils vont exercer les uns sur les autres :

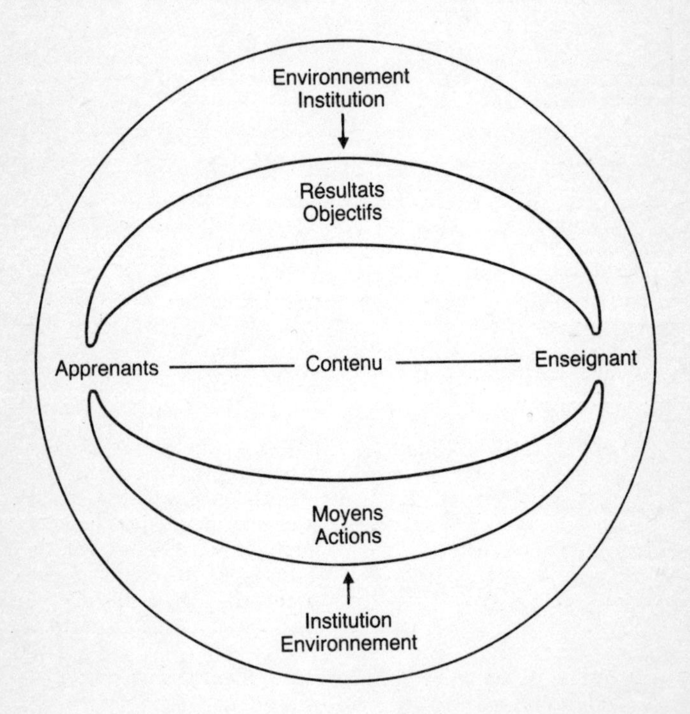

Il convient d'essayer de donner un sens à ces relations et de décrire les conditions de leur fonctionnement, ce qui est la tâche de la pédagogie, ainsi que de proposer les moyens de les rendre productrices d'enseignement et d'apprentissage, tâche qui incombe à la didactique. Toutes deux s'élaborent à partir d'un certain nombre de questions sur les composantes des systèmes d'interactions et les éléments qui les caractérisent :

— **Les apprenants :** qui apprend ? Caractéristiques individuelles : identité, biographie, particularités psychologiques, affectives, physiques, sociales... Caractéristiques des groupes : nombre d'apprenants, histoire, influences et pouvoirs des individus dans le groupe...

— **L'enseignant :** qui enseigne ? Identité, biographie, formation, particularités psychologiques, affectives, physiques, sociales...

— **Les contenus :** qu'enseigner, qu'apprendre ? Il faut entendre par ce terme tout ce qui peut être enseigné et appris en fonction d'une langue étrangère, étant entendu que le lien entre les deux n'est pas aussi direct et évident qu'on veut bien souvent le croire (ce n'est pas parce qu'un contenu a été enseigné qu'il a été nécessairement appris) : phonétique, lexique, morphologie, syntaxe, actes de parole, fonctions, notions, discours... compréhension et production orales et écrites, compétence linguistique et de communication, stratégies d'apprentissage, civilisation...

— **L'institution :** où ? Une institution est d'abord un lieu où des individus peuvent trouver, à un moment donné, des moyens pour agir ensemble, selon certaines règles, afin d'atteindre des objectifs individuels et collectifs : personnes non enseignantes, organisation, ressources financières, matérielles...

— **Les objectifs :** pourquoi ? Qui les choisit et les définit ? Les auteurs de matériels, des commissions officielles, des spécialistes, des administrateurs, l'enseignant, l'apprenant, son entourage...
Comment ? De façon explicite ou implicite, générale, vague, précise, opérationnelle, à court ou à long terme...
Où ? Dans les matériels pédagogiques, dans des textes officiels, des prospectus, des recommandations, des descriptions...
En quels termes ? De connaissances, de savoirs, de savoir-faire, de comportements, de contenus linguistiques, communicatifs, de compétences...

— **Les résultats :** viser quoi ? Les objectifs représentent l'avenir ; ils sont toujours des paris qu'on espère gagner. Au contraire, les résultats représentent ce qui est effectivement réalisé dans le présent, ce qui peut être observé et évalué. Il convient de ne pas confondre les deux et de ne pas prendre, comme une certaine pédagogie le fait parfois, ses objectifs pour la réalité. Comme l'enseignement n'est pas l'équivalent de l'apprentissage, les objectifs ne sont pas les résultats. Se pose ici tout le problème de l'évaluation.
Qui évalue ? L'enseignant, l'apprenant, d'autres apprenants, des personnes internes, externes à l'institution...
Comment ? Exercices de contrôle intégrés ou non au matériel, observation personnelle, auto-évaluation, épreuves, examen,

avec ou sans sanction, avec ou sans certification, avec notes, appréciations...
Quand ? Avant l'apprentissage, pendant, de façon régulière, permanente, périodique, à la fin, après...
Où ? A l'intérieur de la classe, à l'extérieur mais dans l'institution, ailleurs...
Quoi ? Sélection des contenus enseignés, adéquation par rapport aux objectifs...

— **Les actions :** comment enseigner ? comment apprendre ? Il faut entendre par ce terme tout ce que l'enseignant fait pour enseigner la langue étrangère : donner des instructions, des explications, montrer, donner des informations, lire, écrire, manipuler des appareils, bouger... et tout ce que l'apprenant fait pour apprendre : écouter, répéter, regarder, imiter, jouer, lire, écrire, mémoriser, se corriger, deviner, comparer...

— **Les moyens :** comment ? Ces actions sont réalisées dans des lieux : salle de classe, laboratoire de langues, salle de projection, lieux extérieurs à l'institution, aménagement intérieur, ameublement, équipement...
A des moments donnés : répartition des heures, fréquence, durée, nombre d'heures, de semaines, de mois, d'années...
Avec l'aide d'objets : manuels, imprimés divers, images, bandes magnétiques, cassettes, radio, films, tableau noir, crayon...

1.2. Les options pédagogiques et didactiques

On le voit d'après cette rapide énumération indicative, le nombre de questions et de problèmes qui se posent par rapport à chacune des composantes et des relations qu'elles entretiennent entre elles est considérable, comme l'est la multiplicité des réponses et des décisions possibles. Celles-ci ne peuvent jamais être uniques et universelles. Elles sont toujours multiples et varient en fonction de chaque situation d'enseignement/apprentissage. On peut néanmoins dégager au moins cinq options fondamentales dont chacune, selon l'une ou l'autre composante qu'elle va privilégier, va déterminer différents types de pédagogie et de didactique :

— On peut croire, par exemple, que ce qui est le plus important lorsqu'on enseigne et apprend une langue étrangère, ce sont les contenus et que tout doit y être subordonné, car ce n'est que dans la mesure où ils auront été bien choisis, décrits et présentés, selon un ordre et une progression adéquats, que l'enseignement/apprentissage pourra être efficace et de qualité. Cette croyance est à la base de toute la pédagogie dite traditionnelle, dont le but est essentiellement de transmettre des connaissances sur la langue avec le pari que l'apprenant saura les exploiter dans son utilisation effective pour communiquer ; ces connaissances sont tirées de deux sources principales : les textes des grands auteurs, d'une part, qui servent de modèles à imiter, la grammaire, de l'autre, qui présente les règles de fonctionnement de la langue en tant que système et permet de distinguer ce qui est correct de ce qui ne l'est pas. Mais la conviction que les contenus doivent occuper la première place dans la mise en œuvre de systèmes d'enseignement/apprentissage n'est pas propre à la seule pédagogie traditionnelle. On la retrouve tout au long des développements de la linguistique appliquée de ces trente dernières années. Ne s'est-elle pas fixé justement comme première tâche, dès ses débuts et jusqu'aux années 70, d'appliquer les nouvelles théories linguistiques à la description appropriée des contenus à enseigner et à apprendre ? Elle n'a commencé que récemment à se préoccuper aussi de leur mise en œuvre pédagogique. Et l'on peut affirmer que la majeure partie des travaux effectués ces dix dernières années autour de notions-clés telles que la compétence de communication (Piepho 1974, Roulet 1976, Chevalier 1980), l'approche communicative (Widdowson 1981b, Moirand 1982), l'approche notionnelle-fonctionnelle (Wilkins 1976, Besse 1980), les niveaux-seuils (van Ek 1975, Coste *et al.* 1976, Baldegger *et al.* 1980), l'analyse du discours (Coulthard 1977, Sinclair 1980) l'ont été en fonction de la définition des contenus. Certes, ils ont contribué à changer aussi les méthodes, mais pas avec la même vigueur, de sorte qu'on peut regretter aujourd'hui l'absence d'une ou de plusieurs méthodologies cohérentes qui proposeraient des pratiques en accord avec les nouvelles descriptions de contenus. Car l'expérience l'a assez montré, l'« intendance ne suit plus » (Galisson 1980a). Les théories et modèles linguistiques, sociolinguistiques, pragmalinguistiques et autres qui sont actuellement utilisés de façon plus ou moins respectueuse pour définir des contenus n'entraînent pas nécessairement une didactique correspondante, et l'on peut très bien enseigner des actes de parole, des fonctions et notions, des interactions conversationnelles par des activités de type explicatif qui n'ont rien à envier à l'enseignement des règles de la grammaire traditionnelle ni à la classique explication et analyse de texte.

— C'est pour combler cette lacune qu'on s'est récemment intéressé à la méthodologie, à l'enseignement et aux pratiques dans la classe, comme le relève Brumfit (1981a). On peut en effet estimer que ce qui importe le plus quand on apprend une langue, c'est ce qu'on fait réellement et non pas tant les contenus langagiers auxquels on est confronté. Ce qui prime, par conséquent, ce sont les actions que vont faire ensemble enseignant et apprenants pour réaliser en commun leur projet d'enseignement/apprentissage. Les contenus sont secondaires et doivent y être subordonnés, d'autant plus qu'ils ne peuvent jamais correspondre à l'utilisation de la langue telle qu'elle existe dans les situations authentiques de communication hors de la salle de classe dont ils ne peuvent être qu'une réduction (Porcher 1981, Coste 1981). Le rôle de l'enseignant et de la méthode devient dès lors prépondérant pour servir d'intermédiaire entre l'apprenant et la complexité infinie de la langue et pour fournir petit à petit, dans un cadre sécurisant par sa cohérence, les moyens de faire face à l'imprévisible de la communication langagière.

Le choix méthodologique a lui aussi sa tradition. L'exemple le plus réussi est offert par certaines méthodes structurales et audio-visuelles structuro-globales qui ont su marier avec bonheur l'application méthodique d'une théorie de l'apprentissage, le behaviorisme, avec une théorie linguistique, le structuralisme. Mais on le trouve déjà à l'origine de la méthode directe du début du siècle comme à celle des types d'enseignements plus récents (Stevick 1980), tels que le Counseling-Learning et la Community Language Learning (Curran 1976), la suggestopédie (Saféris 1978), le Silent Way (Gattegno 1976) pour ne citer que les plus marquants. Bien que très différentes dans leurs principes et pratiques, toutes ces méthodes sont construites à partir d'hypothèses sur les processus d'acquisition des langues qui vont leur fournir les données de base pour organiser des ensembles cohérents de procédés. Ce qui est frappant, c'est qu'elles prétendent toutes respecter la personnalité de l'apprenant, mais comme elles croient toutes détenir la ou une certaine vérité en la matière, elles n'en imposent pas moins à tout le monde, chacune à sa manière, une seule façon d'enseigner et d'apprendre les langues étrangères à laquelle il faut, si l'on veut réussir, adhérer pleinement. Chez toutes également, la définition des contenus linguistiques ne semble pas être la préoccupation majeure, bien qu'elle n'y soit pas négligée, mais elle est simplement subordonnée aux principes méthodologiques qui en déterminent les choix et la progression.

— Ces méthodes contraignantes se veulent toutes être au service de l'individu pour développer ses facultés d'apprentissage. Seulement comme leurs adeptes partent du principe qu'ils savent, par expérience, comment on peut le mieux apprendre une langue et qu'a priori l'apprenant ne le sait pas, ils vont lui proposer un ensemble d'activités bien organisé auquel il ne pourra rien changer. La méthode une fois choisie, les possibilités d'autres choix aussi bien sur le plan des contenus que sur celui des actions d'enseignement et d'apprentissage sont pratiquement nulles. On peut, au contraire, être persuadé qu'il n'y a pas qu'une seule façon de bien apprendre une langue étrangère, que chaque individu doit pouvoir découvrir lui-même, s'il n'en a pas déjà l'expérience, laquelle ou lesquelles lui conviennent le mieux, que les contenus et les activités d'apprentissage dépendent de ses besoins et possibilités et que, par conséquent, le rôle de l'enseignant consiste, d'une part, à mettre à sa disposition l'éventail le plus large possible de contenus et d'occasions d'apprentissage, et, de l'autre, à l'aider à prendre les bonnes décisions pour exploiter de façon optimale ses propres facultés d'apprendre. De « producteur » qu'il était, l'enseignement doit plutôt être considéré, dans cette perspective, comme « facilitateur » d'apprentissage (Holec 1980, 23). Le centrage sur l'apprenant qui est prôné comme une nécessité et qui est un des traits distinctifs du renouvellement didactique de ces dix dernières années a certes toujours existé sous une forme ou une autre, ne serait-ce que par le fait qu'on n'a jamais enseigné une langue étrangère exactement de la même manière à un enfant de onze ans qu'à un adulte. Mais on peut, aujourd'hui, mieux différencier aussi bien les contenus que les pratiques, on peut aussi mieux les adapter aux différents publics concernés, dont on peut repérer avec plus d'efficacité les caractéristiques. Il n'en reste pas moins que bien souvent le centrage sur l'apprenant n'est que superficiel ou apparent, car il ne va pas jusqu'à lui donner les moyens institutionnels de participer à la prise des décisions qui le concernent. Si l'on prétend qu'il doit être au centre des systèmes d'enseignement/apprentissage, il faudrait au moins lui demander son avis, et non pas le placer là, d'autorité, uniquement parce qu'une idéologie pédagogique a décidé que c'était sa meilleure place.

— C'est pourquoi la définition des contenus et des rôles de l'enseignant et des apprenants ne peut être conçue que par rapport à une institution dont, en fin de compte, tout dépend. C'est donc elle qui est la composante déterminante des systèmes et c'est en fonction d'elle que pédagogie et didactique doivent se définir.
On peut avoir deux attitudes fondamentales à l'égard d'une institution. On peut la considérer comme le lieu qui fournit aux individus les moyens de réaliser, en acceptant de respecter un certain nombre de règles, leurs objectifs personnels à condition qu'ils soient au service d'objectifs généraux communs ou tout au moins qu'ils soient en accord avec eux. Dans ce cas, enseignant et apprenants acceptent les contenus et les méthodes que l'institution leur propose ou impose et ils s'identifient avec elle pour la servir.
A l'opposé, les règles et les objectifs institutionnels peuvent être ressentis comme autant d'obstacles à l'épanouissement de la personne. Le but de toute institution est d'établir des normes pour durer et faire durer ce qu'elle est chargée de réaliser, de sorte qu'elle sera toujours un empêchement au changement. Les systèmes d'enseignement en place « reproduisent » (Bourdieu et Passeron 1970) l'inégalité des chances d'éducation résultant de la différence entre les classes et les milieux socio-culturels. Dès lors, la seule attitude à avoir est de combattre les institutions pour les transformer, afin de répartir différemment les pouvoirs. La pédagogie et la didactique deviennent aussi des moyens d'action politique. Les échecs de la pédagogie institutionnelle, qui, notons-le en passant, n'a pas eu d'applications particulièrement marquantes dans le domaine des langues étrangères, en disent long sur les difficultés et les impasses dans lesquelles on s'engage lorsqu'on choisit cette voie.
Il est évident qu'entre ces deux extrêmes, le mariage avec une institution ou la volonté de la détruire, toute une série d'attitudes sont possibles. Ce sont d'ailleurs les plus courantes. Comme il est évident que ne sont jamais absolus les quatre choix fondamentaux de centrer les systèmes, soit sur les contenus, soit sur les méthodes d'enseignement et sur l'enseignant, soit sur l'apprenant et son apprentissage de la langue, soit sur l'institution. Mais pour comprendre le fonctionnement des systèmes, il est nécessaire d'en isoler d'abord les composantes pour ensuite mieux en saisir

les interactions. Il est néanmoins certain que selon les personnes, les institutions, les lieux, les moments, l'un ou l'autre choix pèse plus dans la définition et l'application des pratiques pédagogiques et didactiques.

— Mais on peut aussi essayer de ne privilégier aucune composante et de faire en sorte que chacune ait le même poids et joue un rôle égal dans le jeu de leurs interactions. La fonction de la pédagogie et de la didactique sera essentiellement régulatrice pour organiser de la façon la plus harmonieuse possible, à chaque instant, les relations toujours changeantes entre tous les éléments. Pédagogie et didactique du moment, de la négociation, elles cherchent à créer les conditions optimales, par rapport à chaque situation particulière, permettant à tous les partenaires, selon des procédures à redéfinir constamment, de proposer et de décider, chacun selon ses possibilités et le rôle qu'il est capable d'assumer. Elles cherchent aussi à répartir les pouvoirs selon les modalités à déterminer de cas en cas et qui donnent à chacun au moins le droit à la parole. Ainsi le choix des contenus et objectifs, des actions et moyens dépendra de l'apprenant, de l'enseignant et de l'institution qui rechercheront ensemble les compromis nécessaires à la réalisation de leur projet par la prise de conscience des problèmes qui se posent au niveau individuel et communautaire. Pédagogie et didactique utopiques ? Oui, si l'on considère qu'il n'y a qu'une harmonie valable pour tous, non, si l'on considère que leurs tâches consistent, au moins, à réduire les méfaits de certains déséquilibres, au plus, à offrir une chance d'atteindre l'équilibre possible dans les circonstances données.

1.3. Les approches pédagogiques et didactiques

Les cinq options schématiquement décrites ci-dessus déterminent cinq approches pédagogiques et didactiques :

— **L'approche langagière,** centrée sur les contenus.
— **L'approche méthodologique,** centrée sur les méthodes d'enseignement et sur l'enseignant.
— **L'approche psychologique,** centrée sur les processus d'apprentissage et sur l'apprenant.
— **L'approche socio-politique,** centrée sur les institutions.
— **L'approche systémique,** centrée sur les systèmes d'enseignement/apprentissage et sur les interactions de leurs composantes.

Celles-ci ne sont jamais appliquées isolément et l'on peut déceler dans le développement de l'enseignement des langues étrangères les combinaisons suivantes :

— L'approche langagière a toujours nettement dominé dans les méthodes dites traditionnelles comme dans les approches notionnelle-fonctionnelle ou communicative des années 70. En fait, le « quoi enseigner et apprendre » a été et est encore le plus souvent ce qui détermine la plupart des programmes d'enseignement/apprentissage des langues étrangères.

— Ce serait faire une caricature grossière que d'associer les méthodes structurales-behavioristes des années 50 et 60 uniquement à l'approche méthodologique. Le renouvellement qu'elles ont apporté à la description et à la présentation pédagogiques de la langue, notamment en mettant en évidence la notion de structure et l'accent sur la langue parlée, force à reconnaître en elles une combinaison heureuse des approches langagière et méthodologique.

— Les méthodes dites humanistes, la suggestopédie, la Community Language Learning, le Silent Way, pourraient être considérées comme des combinaisons plus ou moins réussies des approches psychologique et méthodologique.

— La période 1970-1980 a été marquée par une autre combinaison, celle des approches langagière, psychologique et socio-politique. Les contenus ont en effet été définis de plus en plus par rapport à la dimension sociale et politique de la langue et par rapport à son utilisation en tant que moyen de communication dans toutes sortes d'institutions autres que de formation. Tous les programmes d'enseignement/apprentissage des langues de spécialité, par exemple, ne visent rien d'autre qu'à préparer l'apprenant à mieux satisfaire aux besoins des institutions. Mais pour y parvenir, ils doivent aussi s'adapter aux exigences et prendre en compte les besoins propres aux individus. C'est ainsi que les approches socio-politique et psychologique se combinent avec l'approche langagière pour définir des contenus plus fonctionnels.

— Récemment, l'approche méthodologique qui avait été quelque peu négligée dans les années 70 est revenue en force pour se combiner avec l'approche psychologique. Apprendre à apprendre une langue étrangère, faire découvrir à l'apprenant ses propres stratégies d'apprentissage, le rendre capable de les développer et de les exploiter, lui apprendre à devenir autonome, tels sont quelques-uns des traits marquants de la pédagogie et de la didactique actuelles. Il est intéressant de constater que le poids méthodologique est double : d'une part il concerne l'enseignant qui doit trouver les moyens pratiques de réaliser les tâches ci-dessus, de l'autre, il intéresse l'apprenant qui doit acquérir une méthode pour apprendre. La méthodologie s'applique par conséquent aussi bien à l'enseignement qu'à l'apprentissage.

— Quant à l'approche systémique, elle a fait l'objet de travaux théoriques, notamment ceux exécutés dans le cadre du Projet N° 4 Langues vivantes du Conseil de l'Europe (Trim. *et al.* 1973, Trim 1979), mais n'a pas encore abouti à des réalisations importantes. Elle est pour l'instant plus un instrument heuristique et de réflexion qu'un moyen opérationnel.

Ces quelques considérations générales sont évidemment très schématiques. Elles peuvent néanmoins servir de points de repère pour se situer par rapport au développement extrêmement riche et diffus de la pédagogie et de la didactique des langues étrangères de ces dix dernières années (Coste 1975, Roulet 1976,

Porcher 1976, Galisson 1980b, Schröder 1980, Mair et Meter 1981), à leur renouvellement qui se poursuit depuis la remise en question radicale des méthodes structurales-behavioristes à la fin des années 60 (Abbou 1980a, McLaughin 1980, Galisson 1980c, Dalgalian *et al.* 1981), par rapport aussi à la crise que d'aucuns décèlent dans le foisonnement des idées et dans le gouffre qui s'ouvre toujours davantage entre la théorie et la recherche d'une part, la pratique et l'application de l'autre (Petersen 1975, Bender 1979, Titone 1980).

1.4. Recherches et applications actuelles

Selon que l'on est pessimiste ou optimiste, la situation actuelle de la pédagogie et de la didactique des langues étrangères paraît, soit effectivement en crise, parce que plus aucune certitude ne permet d'affirmer quoi que ce soit et que, dès lors, tout est valable, soit, au contraire, être extrêmement riche en possibilités, la recherche et ses applications ouvrant de plus en plus de voies originales. Quelle que soit l'attitude de chacun, il faut bien avouer que la tâche de l'enseignant et de l'apprenant n'est pas toujours aisée, s'ils ne veulent pas faire l'autruche, bombardés qu'ils sont de tous côtés par des slogans, des théories et des matériels de toutes sortes et souvent contradictoires. Qu'on en juge par ce catalogue sélectif des domaines dans lesquels recherches théoriques et applications pratiques nous paraissent marquer le plus décisivement la pédagogie et la didactique actuelles :

— La compétence de communication, les approches communicatives, les communications sociales : il est généralement admis qu'une des finalités de l'enseignement des langues étrangères est la communication. Mais celle-ci y est très souvent réduite à son expression orale de fonction instrumentale. Le concept de compétence de communication n'est souvent qu'un slogan ou que l'objet de déclarations d'intentions pieuses, alors qu'il faudrait en exploiter didactiquement toute la richesse, comme le fait, par exemple, Coste qui y distingue cinq composantes :
a) une composante de maîtrise linguistique,
b) une de maîtrise textuelle,
c) une de maîtrise référentielle,
d) une de maîtrise relationnelle,
e) une de maîtrise situationnelle (1979, 98).
Abbou, de son côté, distingue entre la compétence linguistique, la compétence socio-culturelle, la compétence logique, la compétence argumentaire et la compétence sémiotique (1980a, 15). On est loin de la réduction qui pourrait faire croire que la compétence de communication se limiterait à la capacité de commander une bière dans un restaurant, ou de demander à quelqu'un où se trouve la gare. La dichotomie compétence/performance n'est d'ailleurs peut-être pas si utile, comme le relevait Halliday en 1970 déjà : « Une telle dichotomie risque d'être soit inutile soit

trompeuse : inutile si elle n'est qu'un autre nom pour faire la distinction entre ce qu'on a été capable et incapable de décrire dans la grammaire, et trompeuse dans n'importe quelle autre interprétation » (Halliday 1970, 145 notre trad.). Ce qui importe en tout cas, c'est que l'apprenant ait accès à la langue utilisée dans les interactions sociales, telle que certains modèles sociolinguistiques et ethnolinguistiques permettent de la décrire (Abbou 1980b, Bachmann *et al.* 1981) et qu'elle soit présente dans les programmes d'enseignement/apprentissage (Canale et Swain 1980, Breen et Candlin 1980).

— Les actes de langage, la pragmalinguistique, l'analyse du discours : l'utilisation réductrice d'une théorie linguistique comme les actes de langage est également décevante. Sur le plan des dénominations tout est appelé, dans certains matériels, actes de parole, de sorte que le concept même cesse d'être opératoire. De plus, l'énumération taxonomique des énoncés réalisant divers types d'actes tend à présenter la langue comme un catalogue de phrases toutes faites à apprendre par cœur. Le progrès par rapport aux inventaires structuralistes n'est pas évident. C'est la raison pour laquelle il est absolument nécessaire de dépasser, dans toute présentation didactique de la langue, le niveau de la phrase ou de l'énoncé pour arriver à celui du discours et de l'échange. Si l'on veut que l'apprenant apprenne à communiquer, il faut, au moins, qu'il soit mis en présence de modèles qui lui montrent et fassent comprendre comment fonctionne la langue lorsqu'elle est réellement utilisée pour communiquer, c'est-à-dire pour agir et pour négocier la compréhension mutuelle entre des interlocuteurs (Roulet 1981b, Schmidt et Richards 1980).

— La pédagogie intégrée de la langue maternelle et des langues étrangères, les interlangues, les stratégies communicatives de compensation : dans la plupart des établissements scolaires, à partir d'un certain moment, la langue maternelle et une ou plusieurs langues étrangères sont enseignées parallèlement à l'aide de méthodes et de matériels fort différents, contradictoires même. Il semblerait raisonnable et pédagogiquement rentable d'adopter des cadres de référence communs qui permettraient de faire découvrir les analogies et les différences entre leur mode de fonctionnement. Il ne s'agit évidemment pas d'avoir recours aux techniques classiques de la traduction ou aux théories de la linguistique contrastive ou comparée. Ces cadres de référence ont essentiellement une fonction heuristique pour aider l'apprenant à tirer parti de l'expérience qu'il a déjà acquise des communications sociales dans sa langue maternelle ou dans d'autres langues pour développer et enrichir sa compétence générale de communication (Roulet 1980). Il convient aussi de mieux comprendre et décrire les systèmes d'interlangues qu'il va mettre en place au cours de son apprentissage (Corder et Roulet 1977, Py 1980, Corder 1981) et de tirer profit des stratégies de compensation qu'on utilise pour communiquer lorsqu'on ne dispose pas des moyens linguistiques nécessaires (Tarone 1980, 1981, Harding 1980, Faerch et Kasper 1983).

— L'enseignement, l'apprentissage, l'autonomie : la différence entre enseignement et apprentissage et entre acquisition et apprentissage (Krashen 1981) est théoriquement mieux perçue. Ce qui l'est moins, c'est le rôle que joue, pratiquement, chaque domaine d'activités, ce sont les liens entre eux pour qu'en fin de compte un individu soit capable d'utiliser une langue étrangère pour communiquer pendant et après le temps qu'il a consacré à l'apprendre. Que peut faire l'apprenant seul ? Quand a-t-il besoin de l'enseignant ? Pour quoi faire ? A quoi peuvent servir les matériels pédagogiques ? Autant de redéfinitions des rôles auxquelles s'attachent la pédagogie et la didactique actuelles. Une des tendances générales les plus riches est d'organiser les systèmes éducatifs de telle façon que, tout en apprenant une langue étrangère, l'individu apprenne à devenir autonome, c'est-à-dire à prendre en charge son propre apprentissage. L'enseignant devient une sorte d'accoucheur des processus d'acquisition et d'apprentissage de l'apprenant. Quant au matériel pédagogique, il constitue un réservoir de données favorisant cet accouchement (Holec 1981, Allwright 1981, Widdowson 1981a).

— La civilisation, la culture, l'enrichissement personnel et social : rendre l'individu plus autonome, c'est aussi lui donner le sens des responsabilités et les moyens de mieux se réaliser personnellement et socialement et éventuellement, pourquoi pas, d'être plus heureux. La réduction de la communication à sa fonction instrumentale et interactionnelle et le développement de méthodologies efficaces d'apprentissages risquent d'aboutir à toutes sortes de technocraties. La connaissance d'une langue étrangère ouvre l'accès à d'autres moyens de concevoir le monde et, par conséquent, à une meilleure compréhension de l'autre, à la tolérance. Bien que l'on puisse prétendre que la dimension « idéationnelle » de la langue soit implicitement présente à son apprentissage, il faudrait malgré tout qu'elle apparaisse de façon plus explicite dans les contenus et pratiques.

— La technologie, la télématique, la miniaturisation, les micro-ordinateurs : le développement de nouveaux moyens techniques pour traiter des informations, la mise sur le marché d'appareils toujours plus riches en possibilités d'utilisation, toujours plus petits et meilleur marché, les recherches et applications dans les domaines de l'intelligence artificielle et de la traduction automatique vont transformer les relations entre apprenants et contenus. De nouvelles façons de présenter et de programmer ces derniers permettront aux individus de développer leur faculté d'apprentissage et d'accomplir seuls des activités de plus en plus riches et diversifiées. Les rôles et fonctions des moyens techniques et des différentes composantes des systèmes d'enseignement/apprentissage devront être redéfinis par rapport aux applications possibles des nouvelles technologies à la pédagogie et à la didactique des langues étrangères.

1.5. Les objectifs d'apprentissage

Quels que soient les approches développées et les domaines explorés par la pédagogie et la didactique des langues étrangères, tous les efforts tendent toujours vers un seul but : mieux enseigner pour aider à mieux apprendre. Dans cette quête constante du mieux, la définition des objectifs et l'identification des besoins jouent un triple rôle. Premièrement, elles sont des instruments permettant des choix et des décisions, deuxièmement, elles donnent un sens à ceux-ci et aux actions d'enseignement et d'apprentissage, troisièmement, elles sont un moyen d'établir et de négocier les interactions entre les différentes composantes des systèmes.

Les deux notions d'objectif et de besoin sont difficiles à cerner d'autant plus qu'elles appartiennent au langage courant et qu'elles sont essentielles à toute activité humaine. Elles recouvrent des domaines fort complexes de sorte qu'on peut leur donner des sens multiples. Mots-valises, leur polysémie est inévitable et peut-être nécessaire à la description et à la connaissance de la vie.

Toute action a toujours un objectif. Celui-ci peut être atteint ou non, fixé d'avance ou découvert ou transformé par l'action même, il peut être précis ou vague, explicite ou implicite, conscient ou inconscient, il est toujours présent, d'une façon ou d'une autre, dans tout ce que nous faisons. L'éducation et l'instruction, l'enseignement et l'apprentissage n'échappent évidemment pas à cette loi et le problème de leurs objectifs s'est toujours posé sous le double aspect de leur choix et de leur formulation. Mais depuis une trentaine d'années, il est au centre de la recherche et de la réflexion pédagogiques. L'éducation étant un des secteurs les plus importants et les plus coûteux dans tout pays industrialisé, il est légitime d'analyser de plus près, comme on le fait dans l'industrie et le commerce, sa rentabilité et son efficacité. Or, l'on constate d'emblée que ses buts ne sont le plus souvent même pas définis ou alors avec une imprécision telle qu'ils n'ont aucun effet. De plus, si toute action vise un objectif, elle produit aussi des résultats qui permettent d'évaluer, de contrôler, d'observer comment il a été atteint. Plus il est vague plus il est difficile de mesurer effectivement comment il est réalisé. Il importe par conséquent de développer des techniques pour formuler avec précision des objectifs dans le domaine de l'éducation de façon à les rendre opérationnels et, par là, mesurables objectivement. Cette volonté de mieux gérer l'action éducative en définissant rigoureusement toutes ses démarches est l'une des caractéristiques de la pédagogie de cette seconde moitié du vingtième siècle. Elle avait certes besoin de plus de rigueur scientifique, tributaire qu'elle était trop souvent des aléas de la vocation des pédagogues livrés à leur talent et à leur inspiration. De nombreux travaux ont été réalisés sur la classification et la formulation des objectifs éducationnels ; on en trouvera d'excellentes synthèses chez De Landsheere et De Landsheere (1975), Hameline (1979), Birzea (1979). Leur apport est incontestable.

On peut néanmoins faire aujourd'hui les remarques suivantes :

— Ces travaux portent en général sur les contenus dont les descriptions permettent de mieux circonscrire et de hiérarchiser des domaines éducatifs cognitifs (Bloom 1956) ou affectifs (Krathwohl *et al.* 1964) ainsi que de préciser les résultats que l'enseignement doit provoquer en termes de comportements observables et quantifiables (Mager 1962). Mais si les savoirs et savoir-faire peuvent être ainsi mieux définis, les modes de les enseigner ne l'ont, le plus souvent, pas été de façon correspondante.

— Les techniques parfois assez complexes de définition des objectifs sont des instruments supplémentaires de pouvoir aux mains des pédagogues, des théoriciens, des autorités, des institutions pour imposer à l'apprenant, avec plus de conviction et des arguments prétendument scientifiques, les contenus qu'ils auront décidé, eux seuls, de lui faire apprendre. Alors que la spécification et le choix des objectifs devraient être l'occasion de mieux harmoniser les interactions entre les différentes composantes des systèmes d'enseignement/apprentissage, ils sont plutôt utilisés comme moyens de mieux contrôler et de diriger autoritairement leur fonctionnement.

— Enseigner et apprendre quelque chose sont des processus qui dépendent de tant de facteurs, dont certains incontrôlables, qu'il est illusoire de prétendre en prévoir tous les mécanismes. Il s'est développé une pédagogie dite par objectifs qui pourrait faire croire qu'il suffit de définir ces derniers scientifiquement et opérationnellement pour qu'à coup sûr ils soient atteints. Ce n'est évidemment pas si simple. Un objectif est toujours un pari et rien n'autorise, lorsqu'on l'a choisi, de penser qu'il sera véritablement réalisé. Entre sa définition et les résultats que l'apprenant et l'enseignant peuvent concrètement observer, il y a un parcours à effectuer qui est en fait le plus important. Ce qui ne signifie nullement qu'il soit inutile de préciser des objectifs. Il est certain que plus ceux-ci seront clairs et acceptés en connaissance de cause par tous les partenaires, plus ils auront de chance d'être atteints. Mais il est trompeur de vouloir les prendre pour la réalité.

— Enfin, le parcours que vont faire ensemble enseignant et apprenants pour réaliser leur projet est tributaire de toutes sortes d'imprévus qui peuvent entraîner des changements dans le plan fixé au départ. Or, le respect à tout prix d'objectifs considérés comme absolus et définitifs risque de bloquer le développement normal, toujours partiellement conditionné par des circonstances ponctuelles et inattendues, des processus d'enseignement et d'apprentissage. Une pédagogie du futur, celle par objectifs, doit être constamment adaptée et corrigée par une pédagogie du moment présent qui sache exploiter à bon escient l'imprévu.

Cette volonté de rationaliser le choix et la formulation des objectifs ainsi que les critiques qu'on peut faire à son égard se retrouvent évidemment dans la pégagogie et la didactique des langues des trente dernières années. Dans les méthodes structurales-behavioristes, ces techniques ont servi essentiellement à établir des progressions linguistiques strictement contrôlées et à répartir les contenus équitablement dans des suites logiques de leçons ou d'unités. Des niveaux ont pu être déterminés, débutants, moyens, avancés, ou niveaux, 1, 2 ou 3, à partir du nombre de mots et de structures à savoir utiliser dans des situations bien définies et du nombre d'heures nécessaires à leur acquisition. Non seulement les contenus sont minutieusement spécifiés pour chaque leçon mais aussi les moyens de les enseigner sont prévus dans différentes phases et procédures dont les objectifs méthodologiques sont, eux aussi, explicités. Quelles que soient les critiques qu'on puisse faire aujourd'hui aux méthodes structurales/behavioristes — elles sont nombreuses et certaines, apparemment, définitives — ces dernières resteront exemplaires au moins au titre de l'adéquation des contenus et des pratiques pour les enseigner. Il est évident que sans la technologie des objectifs pédagogiques développée à partir des années 50, qui est issue d'ailleurs du même mouvement théorique et idéologique, elles n'auraient jamais pu être mises au point de la sorte.

Une définition précise de niveaux de savoirs et savoir-faire en langue étrangère implique les moyens de les mesurer avec la même précision. Le problème des tests a été l'un des sujets de recherche et d'application prédominants des années 60 et 70 et de nombreux travaux y ont été consacrés (Lado 1961, Valette 1977, Davies 1968). Une institution comme les Volkshochschulen de la République Fédérale d'Allemagne a fourni un effort considérable dans ce domaine. Il existe actuellement un grand nombre de batteries de tests, dans différentes langues (Buros 1975, Savard 1977), qui toutes offrent des techniques — elles, en nombre limité — pour évaluer objectivement, à différents niveaux, les quatre aptitudes langagières (compréhension et production orales, compréhension et production écrites) avec toujours la même lancinante difficulté de la mesure effective de l'utilisation naturelle de la langue.

Avec la remise en cause des méthodes structurales-behavioristes et le foisonnement des nouvelles propositions, la recherche dans le secteur des tests objectifs a été quelque peu négligée. Mais la compétence de communication, le centrage sur l'apprenant, l'autonomie, les stratégies d'apprentissage, l'approche systémique ont entraîné d'autres formulations d'objectifs. Inévitablement, même s'il n'était momentanément pas jugé comme primordial, le problème de leur évaluation allait se poser à nouveau et l'on assiste depuis quelques années à un regain d'intérêt pour tout ce qui la concerne (Porcher 1977a, Davies 1978, Oskarsson 1978, Morrow 1979, Carroll 1980, Mothe 1981).

Dans le renouvellement de la pédagogie et de la didactique des langues étrangères de ces dix dernières années, la technologie des objectifs a surtout été appliquée à la redéfinition des contenus en termes de communication langagière. Mais comme celle-ci est particulièrement difficile à décrire, la notion même peut prendre des formes fort diverses et complexes. Ainsi, par exemple, *The Threshold Level* a été considéré comme la spécification d'un objectif : « Le premier objectif que nous avons choisi de définir dans notre système constitue ce que l'on a appelé le threshold level (ou T-level) » (van Ek 1975, 11). Il comporte les rubriques suivantes dans la table des matières :

Deuxième partie : la définition du threshold level

5. Spécification des situations	17
6. Activités langagières	24
7. Fonctions langagières	26
8. Thèmes : spécifications comportementales	29
9. Notions générales	38
10. Notions spécifiques (en relation avec le thème)	41
11. Formes langagières	41
12. Niveau d'aptitude	115
Appendice 1. Lexique pour le T-level anglais	119
Appendice 2. Inventaire grammatical du T-level anglais (L.G. Alexander)	187

(ibid. V notre trad.).

Il aura donc fallu plus de deux cents pages pour définir cet objectif. On est loin d'une formulation du type :

> Cet objectif formel de performance contient quatre parties :
> 1. Intention : démontrer la connaissance de vingt mots de vocabulaire.
> 2. Comportement de l'étudiant : écrire et épeler correctement le mot qui correspond à chacune des vingt définitions données.
> 3. Conditions : par un test de vingt minutes en classe.
> 4. Critère : au moins treize des vingt items doivent être totalement corrects pour réussir (Valette et Disick 1972, 18 notre trad.).

On voit par ces deux exemples extrêmes combien la notion d'objectif peut être interprétée différemment et surtout combien sa formulation peut varier au gré de facteurs tels que : qui les choisit et les formule ? pour qui ? à quelles fins ? dans quel type de texte ? etc.

Cette multiplicité et cette richesse sont en soi positives. Toutefois, la majorité des définitions récentes d'objectifs en termes de contenus posent deux problèmes fondamentaux :

— Les contenus sont limités au domaine langagier, c'est-à-dire qu'ils définissent d'une façon ou d'une autre, vaguement ou opérationnellement, ce que l'apprenant devra savoir de la langue pour, dans le meilleur des cas, définir aussi ce qu'il va faire avec la langue. Or, si l'on veut qu'il devienne autonome, qu'il apprenne à apprendre, qu'il participe plus activement aux prises de décisions, il faut bien lui enseigner ou au moins l'aider à devenir autonome, à apprendre à apprendre, à participer. Il importe, par conséquent, de spécifier les objectifs de ces autres domaines qui concernent, également et à part entière, son apprentissage de la langue étrangère. D'autre part, dans une approche systémique, le choix et la définition des objectifs ne servent pas seulement à déterminer des contenus, quels qu'ils soient, ils sont aussi des instruments à disposition de tous les partenaires pour prendre des décisions, négocier, rechercher des compromis pour la réalisation en commun de leur projet. Ils deviennent ainsi objet même d'enseignement et d'apprentissage, l'enseignant et l'apprenant découvrant ensemble comment ils peuvent décrire et accepter leurs objectifs réciproques ainsi que ceux de l'institution.

— Il est généralement admis qu'il faut enseigner et apprendre une langue étrangère de façon qu'elle puisse être utilisée comme moyen de communication. Mais lorsqu'on essaie de définir des contenus permettant de satisfaire à cette exigence, les choses se compliquent, car, de toute évidence, le terme embrasse une réalité aussi complexe que la vie sociale même des êtres humains. Dès lors, soit on l'utilise sans en préciser le sens, soit on le réduit à quelques situations stéréotypées, soit on essaie quand même de prendre en considération ses aspects caractéristiques. En choisissant cette troisième voie, on reste au niveau de listes d'éléments constitutifs, tels que les actes de parole, fonctions, notions, intentions, objets, thèmes, situations. Mais comme la communication passe par la langue, on aboutit aux mots, formes morphologiques et syntaxiques, structures, énoncés, alors que la communication langagière est essentiellement un phénomène d'échange, d'intervention, d'action et d'interaction, de négociation, qui combine tous ces éléments en discours et textes. Or, cette dimension n'est, au mieux, que mentionnée, elle n'est pas décrite systématiquement. Dans un ouvrage comme celui de Munby (1978), par exemple, dont le sous-titre est « Un modèle sociolinguistique pour définir le contenu de programmes de langues à buts spécifiques » et qui est l'un des ouvrages qui décrivent avec le plus de détails et de cohérence les différentes composantes de la communication langagière, l'auteur est conduit, en fin de compte, dans l'un de ses exemples d'application, sous la rubrique « Formes langagières » (*ibid.* 200, 204 notre trad.) à proposer un certain nombre de réalisations linguistiques dont les premières sont: « 7.1.1.1. J'apporte le menu. 2. Je crains que ce soit complet/fermé. 3. Suivez-moi, s'il vous plaît/Veuillez vous asseoir ici, s'il vous plaît » et dont la dernière est: « 7.1.6.3. Au revoir/Bonne nuit/Bye/Cheerio ». On ne peut s'empêcher d'en conclure que l'apprenant aura à apprendre par cœur ces structures ou phrases toutes faites, qu'il devra les assimiler et les automatiser comme le préconisaient les méthodes structurales-behavioristes. Certes, les références théoriques qui permettraient de décrire les processus d'interaction ou de négociation en termes de contenus d'apprentissage sont insuffisantes. Il n'en reste pas moins que les modèles ou inventaires tels qu'ils se présentent actuellement ont trouvé leurs limites. D'autant plus qu'ils n'ont pas entraîné une redéfinition adéquate des objectifs méthodologiques dont l'absence se fait sentir de façon toujours plus aiguë.

L'enseignement des langues a de tout temps été marqué par la prédominance des contenus langagiers, que ceux-ci fassent référence à une grammaire, au lexique, aux œuvres des grands auteurs, aux structures, aux dialogues, aux situations, aux actes de parole, aux fonctions, aux interactions, c'est toujours ce que l'apprenant doit apprendre qui prime. Pourtant, une langue étant quelque chose de complexe et son utilisation étant essentiellement imprévisible, on peut se demander s'il n'est pas tout aussi important de déterminer comment l'individu va acquérir des contenus qui, de toute façon, seront toujours autres et au-delà de ceux auxquels il a accès dans les situations pédagogiques. En d'autres termes, n'est-il pas légitime de vouloir développer chez l'apprenant, en priorité ou à part égale, des stratégies, des méthodologies, des techniques de transfert d'apprentissage qu'il peut appliquer à toutes sortes de contenus ? Peut-être n'est-ce pas tant la quantité ni la qualité des mots, des structures, des actes de parole, des textes qui importent, que la façon dont il peut les aborder, les apprendre, les réutiliser pour communiquer. C'est pourquoi la fonction des objectifs dans la mise en place des systèmes d'enseignement/apprentissage des langues étrangères doit être repensée ; de nouvelles procédures de définition doivent être inventées de façon que :

— les contenus langagiers ne soient plus les seuls concernés, mais que les domaines des stratégies, de l'autonomie et des méthodologies d'apprentissage soient pris en compte à égalité,
— les objectifs puissent être modifiés et négociés en cours de route,
— un instrument technologique de pouvoir devienne un instrument d'information et de participation pour faire des choix et prendre des décisions,
— la pratique de définition des objectifs soit intégrée aux contenus d'apprentissage,
— les modes d'évaluation correspondent aux nouvelles fonctions et procédures.

1.6. Les besoins langagiers

« Tout ce qui parle en termes de besoin est une pensée magique » (Baudrillard 1976, 69), « le besoin, ça n'existe pas » (Radowski 1980, 144). Comme en témoignent ces deux citations, la notion de besoin pose toute une série de problèmes d'ordre épistémologique, idéologique, politique. De plus, elle est apparentée à d'autres notions, telles que motivation, demande, attente, désir, intérêt qui peuvent être partiellement ou totalement confondues avec elle. Enfin, elle est indissociable de celle d'objectif même, tant il est vrai qu'un besoin incite l'individu à le satisfaire, donc à agir, donc à atteindre un but. A la source même de la vie humaine, il n'est pas étonnant qu'elle soit l'objet d'innombrables théories. Et il faut accepter la vanité de toute définition univoque. Ce que l'on peut tenter par contre, c'est d'établir des réseaux de significations multiples à partir de certains points de repère qui permettent de mieux cerner différents aspects de cette notion, par exemple :

— Etat de manque, d'insatisfaction, de déséquilibre/Etat de satisfaction, d'équilibre, d'apaisement.
— Construction à partir de données internes et externes à l'individu/Relation entre l'individu et le monde.

— Tension entre deux états/Prise de conscience d'un état présent comparé à un état futur.
— Force qui pousse à agir pour changer un état en un autre.
— Expression d'un projet.
— Etc.

On peut ainsi proposer des définitions équivoques qui se complètent les unes les autres et qui donnent une certaine idée de ce que l'on peut entendre par besoin. Par exemple :

> Etat objectif de déséquilibre d'un organisme par rapport à son environnement : chez les animaux supérieurs cet état conduit à la recherche d'un nouvel équilibre au moyen d'une activité provoquée par une motivation (Le Ny 1972, 184).
> Le besoin peut être considéré comme l'expression d'un projet (réaliste ou non ; explicite ou implicite) d'un agent social (individuel ou collectif) par rapport à une nécessité née de la relation de l'agent au champ social. Ce projet peut être onéreux et en contradiction avec d'autres projets (Rousson et Boudineau 1977, 2).
> Ainsi le besoin se définit comme une relation « requise » entre l'individu et le monde, ou plus précisément le besoin est cette relation en tant que requise pour le fonctionnement (optimal) de l'individu (Nuttin 1980, 91).
> En d'autres mots, nous pouvons désigner le besoin comme un état de tension et de conflit à l'intérieur du système personnel : une personne prend conscience de l'existence d'un moyen, dont elle aimerait disposer, de satisfaire un besoin : elle prend en même temps conscience que dans les circonstances données elle ne peut disposer immédiatement de ce moyen. Il existe donc une tension entre ces deux prises de conscience, on pourrait aussi dire entre la prise de conscience d'un état actuel (la disposition effective du moyen de satisfaire le besoin) et d'un état futur (la disposition recherchée du moyen de satisfaire le besoin). Plus précisément, un besoin a toujours deux pôles. Les aspirations des êtres humains pour des objectifs déterminés ne sont pas pensables sans la prise de conscience des moyens de la satisfaction. Les besoins ne peuvent être imaginés sans le processus de leur satisfaction (Hondrich 1975, 27-28 notre trad.).

Abondamment analysée en psychologie, psychanalyse, sociologie, économie, la notion de besoin a été utilisée en éducation essentiellement en rapport avec la définition des objectifs et plus particulièrement dans le secteur de la formation des adultes. Si le problème n'est pas nouveau — il est inhérent à toute réflexion pégagogique — les pratiques d'analyse, elles, sont relativement récentes et participent du même mouvement de technologie éducative que la définition des objectifs. A tel point que Barbier et Lesne 1977, 23) les confondent avec elle :

> Dès lors, si l'on veut bien admettre qu'analyser les besoins revient à mettre en place un processus au terme duquel seront produites des expressions de besoins, il faut admettre que l'analyse des besoins est une pratique de production d'objectifs et doit être analysée comme telle.

On peut accepter ce point de vue si l'on considère l'analyse comme une étape dont la fonction est de recueillir des informations sur et avec tous les partenaires engagés dans la réalisation d'un projet éducatif, informations qui serviront à déterminer des objectifs non plus a priori, mais « à partir de la définition des exigences de fonctionnement des organisations », « de l'expression des attentes des individus et des groupes », « de la définition des intérêts des groupes sociaux » (*ibid.* 235). Se posent dès lors les mêmes questions : qui analyse les besoins ? de qui ? pour en faire quoi ? Est-ce une autre technologie au service du pouvoir de quelques-uns telle que l'évoque Cooper (1978, 43) ?

> C'est de nos jours, un exercice académique très à la mode que de devenir un expert en besoins humains. Les gens « ont » des besoins, il y a des « réponses » à ces besoins que les gens sont censés avoir, et ils peuvent être « satisfaits » par des experts variés : économistes, sociologues, planificateurs urbains, et ainsi de suite. Nous sommes ainsi, dans la société bourgeoise, en présence du développement d'une technologie des besoins. Les techniciens inventent les besoins qu'ont leurs semblables, de façon à devenir les pourvoyeurs de ces « besoins ».

Ou est-ce un instrument d'information mutuelle, de discussion, de participation, de négociation ? Le piège est ici encore plus redoutable. Car si l'on peut accepter en connaissance de cause des objectifs imposés autoritairement, le passage par l'analyse de ses besoins peut donner l'illusion à l'apprenant, qui, au départ, n'a que peu de pouvoir face à l'enseignement et à l'institution, qu'ils ont été pris en compte alors qu'en fait ils lui ont été dictés avec la même autorité.

La notion de besoin en pédagogie et en didactique des langues étrangères a connu une utilisation toute particulière, ne serait-ce que par l'adjectif langagier qui lui a été accolé. On n'en trouve pas l'équivalent dans d'autres domaines de la formation où l'on utilise en général l'expression « avoir besoin de... » ou « le besoin de... » suivie, soit d'un verbe, complété par un substantif, soit d'un ou plusieurs substantifs. Relevons à ce propos la remarque pertinente de Flahault (1978, 87-88) sur « la forte propension de plus d'un à définir le "besoin" par l'objet qui le comble », alors que l'usage linguistique n'autorise pas ce sens, à l'exception de « l'expression "faire ses besoins", dans laquelle le mot désigne effectivement "ce qui satisfait" (le besoin) ». A quoi Martins-Baltar (1980, 3) ajoute, non sans humour, que la métaphore « être dans le besoin » signifie « être dans la merde ». Que dire alors de ce curieux amalgame de besoin et de langagier ? Notons que la pédagogie et la didactique des langues étrangères s'approprient couramment des notions empruntées à d'autres disciplines en leur donnant des sens réducteurs et parfois même détournés afin qu'ils soient immédiatement applicables à l'enseignement et à l'apprentissage. Tel a été le cas pour structures, par exemple, pour compétence de communication, actes de parole, stratégies d'apprentissage. Quant aux besoins langagiers, l'expression a été forgée de toutes pièces avec une certaine désinvolture qui n'a pas manqué de provoquer bien des malentendus.

Apparue tout au début des années 70, cette formule a été

d'abord utilisée comme équivalent, plus ou moins approximatif, de la notion de situation. Nous osions, à l'époque, proposer la définition suivante : « les besoins langagiers des adultes apprenant une langue vivante correspondent aux exigences nées de l'utilisation de la langue dans la multitude des situations de la vie sociale des individus et des groupes » (Richterich 1973, 36). Et Coste note (1977, 53) que « la notion du besoin étant réputée difficile à cerner, on se range volontiers (son succès en témoigne) à une définition comme celle de Richterich, qui a pour corollaire apparent et commode que l'examen des besoins peut pratiquement se ramener à l'inventaire des comportements langagiers mis en rapport avec les circonstances de leur production ». L'association de ces deux notions et le remplacement de l'une par l'autre peuvent s'expliquer par le fait qu'en réaction contre le dogmatisme des méthodes structurales-behavioristes audio-visuelles, qui avaient, elles, largement eu recours au concept de situation (enseigner le lexique, les structures, la langue en situation est une de leurs exigences fondamentales), il fallait en trouver un autre qui exprimât mieux la nécessité d'adapter les contenus et les pratiques aux différents types d'apprenants. Un des reproches principaux qu'on faisait à ces méthodes était qu'elles imposaient à chacun les mêmes façons d'apprendre un modèle de langue identique présenté dans un nombre restreint de situations stéréotypées. Il importait, par conséquent, d'essayer de tenir compte de la diversité et de la complexité des utilisations langagières dans leurs contextes réels, de façon non pas universelle mais par rapport, d'une part, à leurs caractéristiques, d'autre part, à celles des utilisateurs et des apprenants. Le mot besoin, dans son sens commun, connote le personnel, le particulier ainsi que la satisfaction qui ne peut être recherchée et ressentie que personnellement et particulièrement. C'est ainsi qu'on a été amené, en se rapportant simplement au sens commun et sans se soucier de lui donner un statut épistémologique et théorique solide, à l'employer à la place de celui de situation. Alors que la terminologie accolait à cette dernière l'adjectif « linguistique », qui se réfère plutôt au système d'une langue, « langagier » s'imposa tout naturellement, sous l'influence également de l'anglais « *language need* », car il connote plutôt la communication et l'usage d'une langue.

Les besoins langagiers étaient en réalité un élargissement des situations dans le sens d'« ensemble des conditions de production de l'énoncé, extérieures à l'énoncé lui-même » (Galisson et Coste 1976, 504), puisqu'ils englobaient aussi le langage qui y était utilisé. Les définir consistait à prévoir et à décrire l'utilisation effective de la langue que des individus ou groupes d'individus déterminés allaient faire lorsqu'ils l'auraient apprise. C'était analyser ce dont ils « auront besoin » pour « être capables » de communiquer dans cette langue dans des situations autres que celles d'enseignement/apprentissage et qui dépendent justement d'eux. Les deux expressions entre guillemets indiquent d'emblée les relations extrêmement étroites entre besoins et objectifs, à tel point qu'ils seront souvent confondus. Cela provient du fait que ce que l'on cherche à préciser, c'est toujours ce que l'apprenant veut ou doit savoir et savoir faire, c'est-à-dire des contenus futurs à acquérir, qu'on se situe toujours dans l'avenir et non dans le présent, qu'on néglige de préciser en même temps comment il peut, «hic et nunc» parvenir à ces savoirs et savoir-faire, qu'on définit le besoin langagier par l'objet (l'objectif ?), le langage, qui va le satisfaire. Voulant décrire ce dont «aura besoin» l'apprenant pour «être capable» d'utiliser la langue, lorsqu'il l'aura apprise, dans les situations de communication dans lesquelles il va se trouver, la définition des besoins langagiers embrassait évidemment trop de choses. Nous n'insisterons pas ici sur la différence ou l'identité des relations entre objectifs et besoins dans les formulations suivantes qui marquent bien leur parenté et toutes les possibilités de confusion: il «aura besoin de...» pour «être capable de...» ; il doit «être capable» d'utiliser la langue dans telle ou telle situation, donc il «aura, ou a, besoin de...» ; il «aura, ou a, besoin» d'utiliser la langue dans telle ou telle situation, donc il doit «être capable de...».

Ce qui était important, à l'époque, c'était la volonté de différencier les enseignements par rapport à des individus ou groupes d'individus déterminés afin qu'ils apprennent une langue étrangère dans des conditions qui leur soient propres. Insistons, une fois pour toutes, sur le fait que toute réforme, toute expérience dans le domaine éducatif peut prétendre vouloir satisfaire des besoins et, encore une fois, cette notion n'est pas propre à la pédagogie et à la didactique récentes. On trouve, par exemple, dans *L'élaboration du français fondamental* (1er degré) (Gougenheim *et al.* 1967, 203), qui relate les travaux entrepris dans les années 50 pour établir les listes de mots les plus couramment utilisés et qui sont à l'origine des méthodes structuro-globales audio-visuelles d'enseignement du français langue étrangère, la déclaration suivante: «les expériences sur des centres d'intérêts secondaires ont montré que des besoins ou des circonstances particulières (la maladie, une lettre à écrire) faisaient surgir chacune tout un vocabulaire nouveau». Les méthodes structurales-behavioristes répondaient aussi, et avec quelle efficacité, à un besoin urgent, celui de se débarrasser de la grammaire normative et de la littérature et d'apprendre une langue étrangère de façon qu'on puisse l'utiliser pour communiquer dans les situations de la vie quotidienne. Elles adaptaient, par conséquent, aussi leurs contenus et leurs pratiques aux apprenants. Ce qui est en revanche plus récent, c'est, d'une part, la volonté de différenciation, de l'autre, le développement d'instruments et de techniques d'analyse permettant de prendre en compte les caractéristiques propres à chaque différenciation. Il est apparu, ainsi, qu'une des fonctions plus spécifiques de la définition des besoins langagiers était la description de ce que l'on a appelé les publics. Il est évident que si l'on veut élaborer des programmes d'enseignement/apprentissage mieux adaptés aux particularités de chaque catégorie d'apprenants, il faut d'abord mieux les connaître. L'opération consiste à recueillir, au moyen de différentes techniques dont le questionnaire, l'entretien, l'interview sont les plus connus, des informations sur l'identité, les raisons d'apprendre, les représentations de l'utilisation future de la langue, les attitudes des personnes qui vont entrer en formation. Ces renseignements vont être traités et exploités pour déterminer des objectifs et des programmes. De nombreuses institutions, partout dans le monde, ont entrepris, avec plus ou moins de succès, ce genre d'opération afin de mieux adapter, dirait-on en économie, leur offre d'enseignement à la demande d'apprentissage. Parallèlement, des enquêtes ont été réalisées dans différents pays, en particulier dans les domaines de la vie professionnelle, sur l'utilisation, soit de la ou des langues du pays, soit de celles qui y sont étrangères. Le but de ces travaux est toujours le même : recueillir des informations pour les traiter et les exploiter dans la mise en place de systèmes de formation. Relevons que jusqu'à une date récente (cf. Porcher 1980a), les analyses de besoins langagiers ont porté, à de rares exceptions près, sur des publics adultes, notamment pour l'enseignement fonctionnel des langues étrangères (langues de spécialité, *« language for specific purposes »*), publics et utilisations de la langue pouvant être, dans cette situation pédagogique, plus aisément circonscrits. Ce que l'on cherche, idéalement, c'est d'être à même d'offrir à tel ou tel apprenant ou groupe d'apprenants, que l'on connaîtra bien grâce aux informations recueillies, les contenus d'apprentissage qui correspondent le plus exactement possible à l'usage de la langue qu'il compte faire. Le modèle le plus complet pour réaliser ce genre d'opération est certainement celui de Munby (1978). L'analyse des besoins langagiers, ce que Munby nomme « l'opérateur des besoins de communication », n'aboutit pas à décrire des besoins comme on pourrait le faire d'objets, ni à les définir selon des formulations appliquées aux objectifs pédagogiques, mais à dresser des « profils de besoins » qui se construisent à partir d'un ensemble de données selon différents paramètres, celles-ci fournissant les bases des « syllabuses » qui sont, en fait, une forme de spécification d'objectifs en termes de contenus linguistiques. Il s'agit donc bien d'une pratique de production d'objectifs comme le soulignent Barbier et Lesne (1977) et l'analyse des besoins langagiers en devient désormais le préalable obligatoire.

Mais celle-ci fait en même temps l'objet de nombreuses critiques que nous résumerons brièvement sous les points suivants :

— Alors qu'on pourrait croire (certains le croient toujours) que les besoins langagiers existent réellement et concrètement, tels quels, et qu'on peut les décrire et en dresser l'inventaire comme on le fait d'ustensiles de cuisine, il est devenu évident que ce n'est pas le cas. Porcher (1977b, 6), pour ne citer que lui, a démontré que « le besoin n'est pas un objet qui existe et que l'on pourrait rencontrer, tout fait, dans la rue. Il est un objet construit, le nœud de réseaux conceptuels, et le produit d'un certain nombre de choix épistémologiques (qui eux-mêmes, bien entendu, ne sont pas innocents) ». « Au fond, en avançant dans la recherche, on prend conscience que "besoin" n'est pas un concept, mais, au mieux, une étiquette sur un flacon qui n'existe pas ; il s'évanouit au fur et à mesure de la marche ». Cette « étiquette sur un flacon qui n'existe pas » est d'ailleurs devenue tellement évanescente qu'il est courant d'utiliser le terme entre guillemets pour marquer qu'on fait référence à quelque chose de pas très bien défini, mais qu'on sait néanmoins bien de quoi il s'agit. Le mot « identification » est de plus en plus utilisé à la place de « définition » ou « analyse », les besoins langagiers n'existant pas en tant que tels, il faut d'abord les construire et leur donner une identité.

— Leur identification n'est qu'un leurre qui fait croire à l'apprenant qu'on lui donne la parole, qu'il participe aux décisions, alors que, du fait de son ignorance de ce que seront l'utilisation, l'enseignement et l'apprentissage de la langue qu'il a choisie ou qu'on lui a imposée, et du pouvoir de l'enseignant ainsi que des nouveaux technocrates de l'analyse des besoins langagiers, ce n'est qu'un autre moyen, plus redoutable encore, de lui prescrire, comme toujours, ce que d'autres ont décidé de lui enseigner.

— Identifier des besoins une fois pour toutes, préalablement, pour définir des objectifs risque de bloquer le développement normal souvent imprévu de l'enseignement et de l'apprentissage. L'apprenant va découvrir et construire ses besoins par le fait même d'apprendre. Il va également en ressentir d'autres que ceux éprouvés au départ. Il est par conséquent essentiel d'offrir des procédures d'identification applicables tout au long du parcours.

— Enfin, de nombreuses enquêtes et analyses ont été réalisées sans que les résultats en soient jamais exploités pédagogiquement. Toutes les raisons, financières, politiques, institutionnelles, personnelles, sont bonnes pour ne rien changer, pour ne pas prendre de nouvelles décisions, pour ne pas tirer les conclusions qu'imposent certaines informations. Il est par conséquent indispensable de prévoir dans la conception même des instruments d'identification toutes les possibilités d'exploitation des données avec leurs conséquences éventuelles (toutes ne sont pas prévisibles) sur le fonctionnement des systèmes de formation.

Ces critiques, d'autres également qui ont été et sont encore faites (Besse 1980, 54-76), sont parfaitement justifiées. Il fut un temps, au milieu des années 70, où l'analyse des besoins langagiers était considérée par certains comme la réponse à toutes les questions qui se posaient à la pédagogie et à la didactique des langues étrangères. Il suffisait d'en entreprendre une pour que, miraculeusement, tous les problèmes fussent résolus. Prétexte, dans bien des cas, pour temporiser et pour donner l'illusion qu'il va se passer quelque chose, l'analyse des besoins n'en est pas moins devenue, sous une forme ou une autre, une nécessité (Richterich 1975). Bien des malentendus auraient été évités, si partisans et détracteurs avaient reconnu qu'elle pouvait aussi servir à rendre autoritairement l'enseignement/apprentissage plus efficace, ce qui n'est déjà pas si mal, mais qu'elle n'était pas que cela, « incarnant la nécessité d'associer les apprenants à l'acte même d'apprendre, aux contenus de l'apprentissage, et aux démarches globales de la formation » (Porcher 1977b, 6). D'autres idées fausses n'auraient pas eu cours si la notion de besoin n'avait pas été constamment associée à celles de plaisir et de satisfaction personnels. Certes, il s'agissait de redéfinir le rôle central de l'apprenant dans le jeu des composantes des systèmes de formation, mais les institutions, les groupes sociaux ont eux aussi des besoins, donc des exigences, dont dépendent, d'ailleurs, ceux de l'individu. « Nulle part l'homme n'est en face de ses propres besoins » (Baudrillard 1976, 92).

C'est vers une diversification toujours plus grande et aussi une démystification que se sont développées les pratiques d'identification ces dernières années. Si les grandes enquêtes ont, bien sûr, toujours leur utilité, on ne les entreprend plus qu'avec circonspection. Pour toutes sortes de raisons : elles sont très coûteuses en temps et en argent ; la relation coût/efficacité est très souvent discutable, les informations et les résultats n'étant pas pleinement exploités ; ceux-ci peuvent être manipulés et interprétés selon des points de vue différents et pas nécessairement objectifs ; les enquêtes nécessitent la collaboration de spécialistes ; elles ne permettent de prendre des décisions et de changer qu'à long terme. C'est pourquoi on cherche à développer des pratiques plus légères, à la portée de tous, qui puissent être appliquées immédiatement, sans grand investissement. Mais, surtout, on s'efforce de leur donner une valeur et une fonction pédagogiques en les intégrant aux processus même d'enseignement/apprentissage. Reconnaissant et acceptant la multiplicité interprétative et la relativité des besoins, on ne cherche plus tellement à les définir scientifiquement. Peut-être a-t-on dû renoncer aussi à cette « construction épistémologique véritable du concept » qu'exigeait Porcher (1977b, 6). Un fait est certain : leur identification est l'affaire de tous : apprenants, enseignants, institutions de formation, institutions d'utilisation, société (Richterich et Chancerel 1977). Ce n'est qu'en prenant en considération les relations entre ces différents niveaux, ainsi que leurs conflits, que l'on parviendra à donner aux pratiques d'identification un sens qui ne soit pas trop ambigu. Mais comme dans le jeu de ces interactions, l'apprenant joue, le plus souvent, le plus mauvais rôle — parce qu'il ne « sait » pas et qu'il n'a pas de pouvoir — il faut lui apprendre à le jouer aussi bien que les autres acteurs.

Si l'opération d'identification des besoins langagiers consiste toujours à recueillir, d'une façon ou d'une autre, des informations, sa fonction peut et doit, par contre, être diversifiée :

— Elle sert évidemment d'étape dans la détermination des objectifs, quels que soient les termes dans lesquels ils sont formulés.

— Encore mieux que cette dernière, car elle concerne plus directement les intéressés, elle est un instrument de prise de conscience et de négociation (Richterich et Chancerel 1977).

— Pratiquée par l'enseignant, elle est un moyen de le sensibiliser aux nouveaux problèmes pédagogiques et didactiques (Gardner et Winslow 1983, Dalgalian 1983).

— Intégrée aux processus d'enseignement/apprentissage et même au matériel pédagogique, elle est, pour l'apprenant, un moyen supplémentaire d'apprendre la langue et, pour l'enseignant, de l'enseigner (Richterich 1979).

— Enfin, en s'habituant à identifier ses besoins et à participer, l'individu apprend à apprendre et à devenir autonome (Holec 1979).

Ainsi la formulation des objectifs d'apprentissage et l'identification des besoins langagiers se complètent dans une même fonction : harmoniser et renouveler sans cesse les interactions entre les différentes composantes des systèmes d'enseignement/apprentissage tout en étant des moyens d'actions pédagogiques et didactiques à la disposition des enseignants et des apprenants. Mais il ne faudrait en aucun cas leur donner trop d'importance, en faire des instruments privilégiés, qu'on n'emploie qu'exceptionnellement et avec précaution. Au contraire, il est indispensable de concevoir et de proposer des pratiques auxquelles les intéressés ont recours couramment — les suggestions du dernier chapitre sont présentées dans cette perspective — de façon qu'elles leur deviennent rapidement familières et qu'ils s'en servent sans se rendre compte qu'elles ont pour objet deux notions complexes comme celles d'objectif d'apprentissage et de besoin langagier que nous traiterons plus en détail dans les deux chapitres suivants.

2. Les objectifs d'apprentissage

2.1. Généralités

La réalité d'un objectif ou d'un besoin ne peut être perçue que par rapport aux interactions que les individus ou groupes d'individus entretiennent avec leur environnement, ce terme étant pris dans son sens le plus large : tout ce qui, à un moment et en un lieu donnés, peut exercer une influence sur les personnes et tout ce sur quoi les personnes peuvent, éventuellement, exercer une action (Cortès et Pellaumail 1982, Richterich 1982b). Tant il est vrai qu'avoir besoin de nourriture pour rester en vie, éprouver ce besoin par rapport à la nécessité de le combler et à l'expérience préalable qu'on peut avoir de sa satisfaction, agir en conséquence avec l'objectif de parvenir à celle-ci constituent autant de réalités vécues différemment par un enfant qui crève de faim sur un trottoir de Bombay et par le PDG d'une entreprise américaine qui, de passage à Paris, invite ses collègues français à un déjeuner d'affaires à la Tour d'Argent.

Bien qu'inséparables, les notions d'objectif et de besoin ne sont pas pour autant identiques et interchangeables. C'est pourquoi nous les étudierons, dans un premier temps, séparément afin d'en mieux distinguer les caractéristiques pour, dans un deuxième temps, tenter d'en exploiter les articulations et relations possibles dans des pratiques pédagogiques.

Comme toute action, l'action éducative vise des objectifs. Il est généralement admis que ceux-ci doivent être, d'une façon ou d'une autre, explicités et non choisis au hasard et qu'ils doivent correspondre aux besoins des apprenants, des institutions et de la société. On peut d'ores et déjà retenir une distinction fondamentale : les objectifs, en général, font l'objet d'une formulation explicite, ils sont le résultat d'un choix plus ou moins raisonné, ils existent par et dans des textes de différente nature ; l'expression des besoins reste le plus souvent à l'état d'informations brutes qui figurent également dans des textes, mais qui vont être traitées et exploitées non pas pour leur propre formulation, mais pour celle des objectifs. Ils sont moins le fait d'un choix que d'une interprétation de la réalité construite à partir de différentes sources d'information, ainsi que le représente, par exemple, le modèle théorique de Tyler (1950) que Nadeau (1975, 25) a reproduit de la façon suivante (voir page ci-contre).

Si la spécification des objectifs est d'une nécessité et d'une utilité généralement reconnues, le rôle qu'elle peut ou doit jouer dans le fonctionnement des systèmes d'enseignement/apprentissage et surtout la technocratie pédagogique qu'elle engendre sont de plus en plus remis en question (Kozdon 1981). Et à une conception strictement opérationnelle des objectifs, on peut en opposer une plus large qui admet aussi d'autres formes de construction. Se pose dès lors le problème de leurs fonctions. A quoi servent-elles ? A mieux contrôler et juger les actions des enseignants et des apprenants ? A leur donner un sens et une justification ? A fixer des contenus ? A les proposer pour les choisir par la négociation ? A mettre des jalons pour déterminer

MODÈLE THÉORIQUE DE TYLER

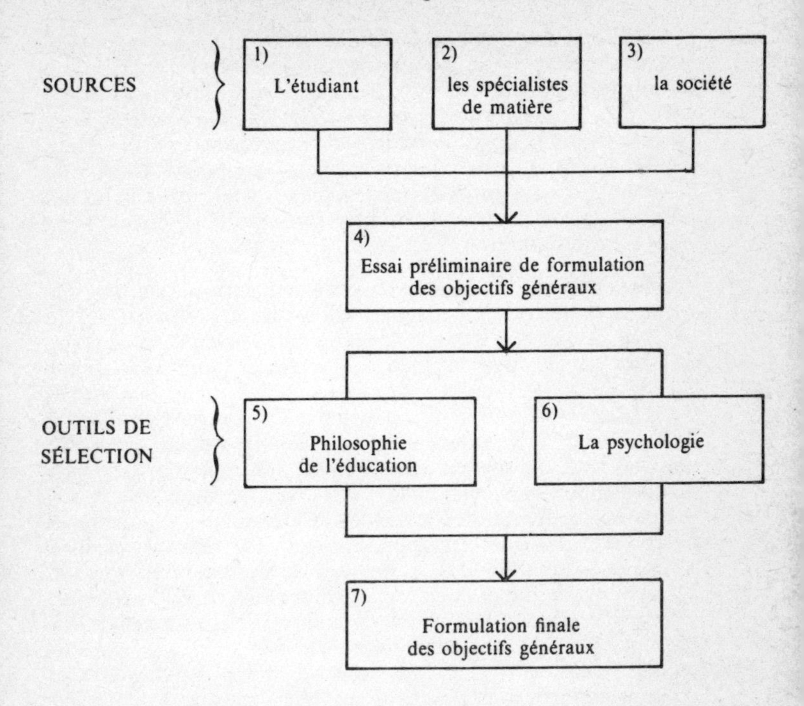

Tyler suggère trois sources d'information permettant d'identifier les besoins lesquels serviront à l'élaboration des objectifs d'un programme: 1) la clientèle étudiante, 2) les spécialistes de matière, et 3) la société.

Une fois les besoins identifiés, Tyler suggère de procéder à une première formulation des objectifs généraux d'un programme (4). Cette liste préliminaire étant complétée, une analyse critique de ces objectifs généraux s'avère nécessaire. Pour ce faire, l'auteur propose ce qu'il appelle des outils de sélection; d'une part il mentionne la philosophie de l'éducation (5) et d'autre part la psychologie de l'apprentissage (6). Ainsi, une fois cette sélection terminée, on peut alors procéder à une formulation finale des objectifs généraux visés par un programme (7).

des parcours ? A aider tous les partenaires à mieux gérer, ensemble, les systèmes éducatifs ? A faire prendre conscience ? A rationaliser les processus d'enseignement/apprentissage ? D'autres questions se posent également. Peut-on porter des jugements de valeur ? Y a-t-il de bons et de mauvais objectifs ? Par rapport à quels critères peut-on les juger : leur précision, leur opérationalisation, leur formulation, leur contenu idéologique, politique, pédagogique, les choix qu'ils impliquent ? Bref, la détermination des objectifs pédagogiques soulève, aujourd'hui plus que jamais, autant de problèmes, sinon plus, qu'elle n'est censée en résoudre.

Nous examinerons dans ce chapitre comment cette problématique est traitée par la pédagogie et la didactique des langues en analysant un certain nombre de textes qui, soit exposent le sujet, soit sont des formulations mêmes d'objectifs. Comme le terme y est interprété de multiples façons et qu'il y prend des formes d'expression fort différentes, nous nous distancerons résolument de la conception strictement opérationalisable pour en adopter une plus large qui soit susceptible de rendre compte de la variété des acceptions. La construction des objectifs ne concerne pas seulement les spécialistes mais tous les partenaires engagés dans un projet d'enseignement/apprentissage, donc aussi ceux qui ne sont pas au courant des techniques de définition. Il importe d'accepter, dans un premier temps, toutes les formulations, sans a priori, afin d'essayer d'en mieux comprendre les mécanismes. Cela ne signifie nullement qu'il ne soit pas nécessaire, dans un second temps, de chercher éventuellement d'autres formes d'expression. Au contraire, cette recherche nous paraît justement faire partie intégrante des programmes pédagogiques. Si l'on estime que la détermination des objectifs est aussi un instrument de discussion, il convient d'apprendre à ceux qui ne le sauraient pas à s'en servir.

Birzea (1979, 11-12) met en évidence le « désaccord terminologique » entre les auteurs en citant McAshan (1974) qui a enregistré 36 dénominations différentes du terme pour le seul niveau opérationnel de définition et uniquement dans la littérature anglo-saxonne. Dans son *Dictionnaire de l'évaluation et de la recherche en éducation* (1979, 187-190), De Landsheere donne 39 entrées au même mot. Comme les formulations peuvent se situer à plusieurs niveaux de généralité et de spécificité, on fait ordinairement la distinction entre finalité, but, objectif général et objectif spécifique ou opérationnel dont Hameline (1979, 97-100) donne, « au moins à titre d'hypothèse de travail », les définitions suivantes :

> 1. Une **finalité** est une affirmation de principe à travers laquelle une société (ou un groupe social) identifie et véhicule ses valeurs. Elle fournit des lignes directrices à un système éducatif et des manières de dire au discours sur l'éducation.
>
> 2. Un **but** est un énoncé définissant de manière générale les intentions poursuivies soit par une institution, soit par une organisation, soit par un groupe, soit par un individu, à travers un programme ou une action déterminés de formation.

3. Un **objectif général** est un énoncé d'intention pédagogique décrivant en termes de capacité de l'apprenant l'un des résultats escomptés d'une séquence d'apprentissage.
4. Un **objectif spécifique ou opérationnel** est issu de la démultiplication d'un objectif général en autant d'énoncés rendus nécessaires pour que quatre exigences « opérationnelles » soient satisfaites :
— décrire de façon univoque le contenu de l'intention pédagogique,
— décrire une activité de l'apprenant identifiable par un comportement observable,
— mentionner les conditions dans lesquelles le comportement souhaité doit se manifester,
— indiquer à quel niveau doit se situer l'activité terminale de l'apprenant et quels critères serviront à évaluer le résultat.

Toutefois, dans les pratiques courantes, ces distinctions ne sont généralement pas faites et il nous semble vain de vouloir préciser pour chaque formulation s'il s'agit d'une finalité, d'un but, d'un objectif général ou opérationnel ou encore d'une des 36 dénominations relevées par McAshan. C'est l'affaire des spécialistes. Un instrument de négociation devant pouvoir être utilisé par tous les participants, nous ne retiendrons que le terme d'objectif d'apprentissage dans le sens le plus large et avec les attributs suivants :

— Un objectif d'appprentissage n'a de réalité qu'à travers un énoncé ou un texte, généralement écrits mais qui peuvent être oraux, dont la forme et le contenu peuvent varier. Cette condition d'existence ne doit toutefois pas faire oublier que les individus, ou groupes d'individus, construisent aussi des objectifs non formulés ou inconscients qui influencent leurs actions et qui peuvent être partiellement déduits par les procédés d'identification des besoins.

— Un objectif d'apprentissage donne des informations, à des niveaux différents de généralité et/ou de spécificité, qui peuvent porter sur le sens, l'intention, le contenu, l'aboutissement de l'acte d'apprendre et qui reflètent les interactions des apprenants ou groupes d'apprenants avec leur environnement.

— Un objectif d'apprentissage exprime un futur et se transforme dans le présent, par l'action, en résultat, lequel peut être, à un moment donné, soit simplement éprouvé, soit contrôlé. Partiellement imprévisible, il ne s'identifie pas directement et automatiquement à l'objectif.

Nous avons adopté le terme d'apprentissage comme complément à objectif parce que toutes les actions et interactions réalisées dans le cadre d'une formation, quels qu'en soient les contextes, ne poursuivent en définitive qu'un seul but : faire apprendre. Les actions d'apprentissage présupposent toutes celles, notamment d'enseignement, qui permettent de les accomplir. C'est donc bien leurs objectifs qu'il convient de définir en priorité, car ils donnent les informations les plus complètes pour élaborer les programmes de formation.

Il s'agit, dès lors, de tenir compte de la différence entre enseignement et apprentissage. Proposons comme hypothèse de travail qu'enseigner, c'est transmettre des informations de façon que des individus puissent apprendre de nouveaux savoirs, savoir-faire ou comportements et qu'apprendre, c'est traiter ces informations de façon à devenir maître de nouveaux savoirs, savoir-faire ou comportements. Cette définition partielle nous permet de repérer au moins trois différences fondamentales :

— L'enseignement est unique dans le sens que l'enseignant, dans une classe, est généralement seul en face de plusieurs personnes et que pendant qu'il enseigne il ne peut faire que cela. L'apprentissage est multiple à plusieurs titres : premièrement, parce que les apprenants sont plusieurs, deuxièmement, parce que chacun interprète et exploite les informations différemment, troisièmement, parce que pendant un enseignement, l'apprenant peut faire autre chose tout en apprenant ou même ne pas apprendre du tout, enfin, parce que si l'enseignement est une des sources d'apprentissage, il n'est pas la seule (les apprenants peuvent toujours trouver des informations ailleurs).

— Enseigner est une action qui se termine lorsque l'information est transmise. Apprendre est une action qui se poursuit après la transmission, de diverses façons, et sans qu'on puisse en déterminer avec précision l'achèvement. Les informations, une fois communiquées, cessent d'exister pour l'enseignant alors qu'elles continuent d'être traitées par l'apprenant.

— Bien que l'enseignant puisse présenter les mêmes contenus plusieurs fois et de façon différente, il ne peut le faire qu'à des moments qui se suivent linéairement. L'apprenant intègre toute information, nouvelle ou ancienne, à des savoirs, savoir-faire, comportements déjà existants et la reconstruit pour créer de nouveaux ensembles qui mélangent l'ancien et le nouveau et se modifient constamment. Une information, une fois transmise, reste pour l'enseignant ce qu'elle est, unique. Pour l'apprenant, elle devient l'objet de multiples transformations.

Si l'on veut que la détermination des objectifs pédagogiques influence vraiment l'acte d'apprendre, car c'est bien lui que cherchent à produire les systèmes de formation, elle doit prendre en considération, dans ses choix, formulations, contenus et modes d'évaluation, ces trois caractéristiques des processus d'apprentissage : la multiplicité, la continuité, la créativité. Dans cette perspective, elle ne peut pas se limiter à être un catalogue de contenus fixés d'avance ni un ensemble d'énoncés affirmant des principes définitifs ou décrivant avec plus ou moins de précision opérationnelle des intentions pédagogiques. Elle doit trouver d'autres formes d'expression qui en fassent vraiment un instrument de prise de conscience et de négociation qu'utilisent apprenants, enseignants et institutions pour créer ensemble et continuellement les conditions favorisant les multiples possibilités d'apprendre. Bertrand Schwartz, dans sa préface au livre de Hameline (1979, 19), déclare : « Un fait est certain : les objectifs sont "intransmissibles". Plusieurs mois ou années d'efforts, plusieurs dizaines de séances, ont abouti à des définitions qui, si elles sont excellentes pour ceux qui les ont produites, apparaissent dérisoires, tant elles sont simples, à ceux qui les lisent avant de commencer à en produire eux-mêmes». La technologie aurait-elle atteint ses limites où les objectifs sont construits pour eux-mêmes par des techniques qui les rendent parfaits aux yeux des techniciens mais incommunicables à toute autre personne ? D'autres pratiques peuvent être inventées qui rendent les objectifs « transmissibles » parce que présentés non plus comme des objets intangibles, mais comme des éléments d'un jeu de construction qu'on peut modeler et assembler selon les circonstances pour créer des ensembles multiples et continuellement transformables.

Mais quelles que soient les façons de traiter la problématique, deux groupes de questions se posent toujours :

— Qui définit les objectifs ? A l'intention de qui ? Pourquoi ?
— Dans quels types de textes ? En quels termes ?

L'étude exhaustive des réponses possibles à ces questions demanderait à elle seule plusieurs centaines de pages. Nous nous limiterons ici à considérer un certain nombre d'exemples afin de voir comment le discours sur les objectifs, leur construction et leur expression sont concrétisés en pédagogie et en didactique des langues. Par la suite, nous poserons quelques jalons pour une conception globale intégrant aussi bien les pratiques de détermination des objectifs d'apprentissage que celles d'identification des besoins langagiers dans une approche systémique de l'enseignement/apprentissage des langues étrangères.

2.2. Le discours sur les objectifs

Nous regroupons sous cette rubrique quelques textes qui ont les caractéristiques suivantes :

— Certains traitent la problématique sans formuler explicitement des objectifs.
— D'autres, tout en développant le sujet, proposent des formulations.
— D'autres encore, dans le cadre d'un développement, indiquent des principes de construction et, éventuellement, fournissent des exemples de formulation.
— Ils sont écrits par des spécialistes (pédagogues, didacticiens, conseillers, enseignants) à l'intention d'autres spécialistes, afin d'exprimer des idées, d'exposer des savoirs, de proposer des thèmes de réflexion, de recherches et d'expérimentation ainsi que des possibilités de solutions.
— On les trouve sous la forme d'articles ou de passages d'articles dans des revues spécialisées, de chapitres ou de fragments d'ouvrages consacrés, soit au problème même des objectifs, soit à la pédagogie et à la didactique des langues en général ou à un de leurs aspects particuliers. Les objectifs qui y sont éventuellement formulés le sont en termes différents selon le point de vue des auteurs. Ils ne correspondent pas à des programmes de formation d'institutions spécifiques, mais sont l'expression de choix idéologiques ou pédagogiques à valeur générale.

Nous distinguerons les textes du discours sur les objectifs de ceux qui présentent des modèles plus ou moins élaborés de construction et de production, c'est-à-dire qui décrivent les principes et les domaines de référence grâce auxquels on peut ou doit choisir, élaborer et formuler des objectifs. Nous les différencierons aussi de ceux qui constituent la formulation même des objectifs d'une institution, d'un programme ou d'un matériel donnés. Certes, de nombreux textes mélangent souvent discours, construction et formulation et nous ne chercherons pas à établir des catégories nettement définies. Ces distinctions nous serviront néanmoins de points de repère pour donner un aperçu — répétons qu'il ne s'agit nullement pour nous de faire une analyse chronologique et exhaustive — de la diversité de ce qui s'écrit sur les objectifs dans le domaine de la pédagogie et de la didactique des langues.

2.2.1. Objectifs et évaluation

L'article de Porcher « Questions sur les objectifs » (1975) est exemplaire parce qu'il décrit en peu de mots et avec des formules percutantes les conditions et les principales difficultés de la recherche des objectifs dans une perspective systémique. Constatant que « les enseignants ne disposent à peu près d'aucun moyen pour savoir réellement ce qu'ils font » (Porcher 1975, 10), l'auteur plaide pour la détermination opératoire des objectifs allant de pair avec celle des moyens de les évaluer. « Si l'on poursuit un objectif X, on doit être en mesure de le définir opératoirement, donc de le décrire, donc de le repérer avec certitude parmi d'autres. Connaître l'objectif visé, c'est être en mesure de définir ce que signifie l'*avoir atteint.* En pédagogie, un objectif qui ne peut être atteint (c'est-à-dire qui n'a pas été atteint déjà au moins une fois) n'existe pas. L'éducation n'est pas la balistique (...) un objectif pédagogique défini sans les critères et moyens d'évaluation correspondants est une mystification » (*ibid.* 10). L'apprenant n'est pas exclu dans ce type de détermination. Au contraire, en définissant clairement des objectifs, on peut mieux les lui expliquer et les négocier avec lui, ce qui revient, selon Porcher, « à les considérer comme n'allant pas de soi, mais aussi comme élucidables et, en outre, modulables » (*ibid.* 10). Il convient dès lors de renoncer à une pédagogie de type universaliste et de concevoir des matériels souples qui s'adaptent aux différentes trajectoires que suivent les apprenants dans leur apprentissage. Quant aux moyens d'évaluation, ils doivent être transformés de façon à aider chacun à « savoir où il est, par conséquent d'où il vient, où il va, et par où il passe ». « Chaque individu construisant sa propre trajectoire de formation, il contribue nécessairement à déterminer les objectifs que, ce faisant, il poursuit. Il est donc indispensable que l'évaluation, connaturelle à toute définition d'objectifs, soit aussi auto-évaluation » (*ibid.* 11). Pour ce faire, les pédagogues et didacticiens ont eu recours à l'analyse des besoins avec la conviction qu'elle leur fournirait les données pour mettre en place une pédagogie à la mesure de chaque apprenant.

Mais il est apparu qu'une identification, même correctement conduite, des besoins d'un individu ou groupe d'individus n'entraînait pas automatiquement une définition adéquate de ses objectifs, des moyens de les atteindre et de les évaluer. « C'est que l'analyse des besoins, malgré les apparences, est une pratique remarquablement confuse, où se mêlent des notions qui, pour être voisines, n'en restent pas moins bien distinctes » (*ibid.* 12). Et de nombreuses questions se posent qu'énumère Porcher, en conclusion, pour « marquer quelques lignes de clivage ».

Malgré tous les travaux réalisés depuis sa publication en 1975, cet article garde toute son actualité, l'évaluation, et par conséquent la définition des objectifs, restant un des problèmes majeurs, aux solutions multiples mais jamais satisfaisantes, de la pédagogie et de la didactique des langues étrangères. Et en écho à toutes les questions de Porcher, nous nous en posons quatre autres qui sont au cœur même de notre étude et auxquelles nous tenterons de donner des éléments de réponse :
— Est-il nécessaire de définir tous les objectifs « opératoirement ? » N'y a-t-il pas d'autres formes de définition tout aussi valables ?
— Est-il indispensable de repérer tous les objectifs avec « certitude » ? L'incertitude n'est-elle pas inhérente aux trajectoires d'apprentissage que construit l'apprenant et ne faut-il donc pas essayer de l'exploiter pédagogiquement ?
— Les critères et moyens d'évaluation doivent-ils toujours être définis conjointement avec tous les objectifs ? Est-ce vraiment une « mystification » d'envisager des objectifs dont on ne voit pas immédiatement, au moment où on les formule, comment ils seront évalués ?
— Les individus ressentent et construisent souvent confusément leurs besoins dans leurs interactions avec leur environnement. N'est-il pas légitime, dès lors, d'utiliser certaines pratiques d'identification sinon « confuses » du moins floues ?

Le problème de l'adéquation des objectifs formulés et des moyens déclarés de les évaluer a très bien été étudié par James et Rouve (1973) qui ont passé au crible d'une grille d'analyse plus de 120 programmes et examens ou tests de langues étrangères en vigueur en 1971-1972 dans des institutions britanniques appartenant aux secteurs de l'éducation permanente, de la scolarité obligatoire et de l'enseignement supérieur. Les auteurs estiment qu'idéalement les objectifs définis dans un programme devraient coïncider avec ceux postulés par les moyens de les évaluer. Leur étude a montré que c'était rarement le cas, non seulement parce que les systèmes de tests étaient défectueux, mais aussi parce que « les objectifs originaux étaient, soit formulés improprement, soit non réalistes, soit les deux » (James et Rouve 1973, 13 notre trad.).

Il faut affirmer avec force que cet idéal ne peut être atteint qu'avec des objectifs aux contenus d'apprentissage limités à l'extrême, tel celui que nous citons à la page 20. Mais plus ces derniers sont complexes, moins la formulation des objectifs peut être opérationnelle et moins leur contrôle peut être strictement

mesuré. Tout le problème de l'évaluation nous paraît mal posé essentiellement parce qu'on ne distingue pas le choix des objectifs de l'observation et de la mesure des résultats. Et il y a peut-être une autre mystification, dans le sens contraire de celui de Porcher, qui consiste à faire croire que les objectifs déclarés peuvent être à coup sûr atteints par tout le monde et que les moyens de vérification adéquats sont à disposition pour prouver qu'ils le sont effectivement. A moins de réduire l'apprentissage à la maîtrise de savoirs, savoir-faire ou comportements limités et isolés les uns des autres, ce qui est contraire non seulement à nos connaissances théoriques, mais aussi à l'expérience pratique de chaque individu, il faut admettre que :
— tous les objectifs ne peuvent et ne doivent pas être définis avec la même efficience opératoire ;
— tous les modes d'évaluation ne peuvent et ne doivent pas avoir la même adéquation avec les objectifs qu'ils sont censés mesurer ;
— tous les objectifs sont des représentations de l'avenir et que, par conséquent, il faut tenir compte des transformations que le temps peut leur faire subir entre le moment où ils sont choisis et formulés et celui où ils sont atteints ;
— tous les modes d'évaluation opèrent dans le présent, ponctuellement, et que, par conséquent, ils ne peuvent rendre compte que d'un moment dans un continuum d'apprentissage.

L'évaluation pose les problèmes les plus graves et les plus sérieux, car elle dépasse les simples considérations théoriques et pratiques. Nécessairement sélective, momentanée, relative, « inadéquate » par rapport à l'apprentissage qui est essentiellement une reconstruction continue d'une globalité, elle met en jeu les mécanismes qui règlent la vie sociale des individus et qui leur permettent d'occuper la place sociale qu'ils « méritent ». Ces mécanismes étant multiples, les modes d'évaluation de l'apprentissage devraient être aussi pluriels (cf. Porcher 1977a). Dans une société obsédée par la rentabilité et la performance, il n'est pas étonnant que dans le couple objectif-évaluation, ce soit le second terme qui prenne en fait le dessus. « C'est le résultat qui compte », dit-on communément. Dès lors, inutile de chercher d'autres objectifs que ceux qu'on peut contrôler rigoureusement s'ils sont atteints. C'est la métaphore du « coucou dans le nid » que Roe (1981, 33) décrit ainsi : « L'apprentissage des langues peut être suscité par un désir de voyage, de rencontrer des gens et de pouvoir communiquer avec eux. Ces raisons, dans les termes de ma métaphore, représentent les oiseaux pour lesquels le nid a été construit à l'origine. Que va-t-il se passer maintenant ? Pendant que les œufs sont au chaud dans le nid, le coucou arrive et pond un autre œuf au milieu d'eux. En d'autres termes, un expert du "Testing" se présente et nous dit : "Il faut non seulement enseigner mais aussi évaluer les résultats de l'enseignement. Il faut mesurer l'étendue et la vitesse des progrès des apprenants et les placer dans un ordre de mérite. Il faut qu'on puisse identifier les difficultés qui nous gênent. Il faut obtenir des informations sûres sur lesquelles on peut baser les leçons futures" ». Ainsi l'objectif premier que s'étaient fixé, explicitement ou implicitement, les apprenants (apprendre une langue étrangère pour découvrir un pays, pour mieux exercer sa profession...) est escamoté par celui plus immédiat de réussir un examen.

2.2.2. *Objectifs et besoins*

Au couple objectif-évaluation s'est adjoint un troisième élément : les besoins, dont l'analyse devait être la panacée pour centrer l'enseignement sur les apprenants.

> On notera au passage que ce postulat d'une conformité indispensable des objectifs aux besoins (les besoins font question, les objectifs sont réponse, qui doit être adéquate) ne va pas sans effets de retour et se laisserait inverser assez facilement en démonstration : « Il faut modifier les objectifs de l'enseignement des langues, et pouvoir évaluer les résultats : définissons donc les besoins à partir de ce que nous entendons pouvoir ensuite mesurer, et à l'aide des mêmes instruments » ; ce qui, quelle que soit la bonne foi des analystes des besoins, influerait sans doute sur la lecture des phénomènes dont ils entendent rendre compte... On remarquera aussi que cette adéquation posée en préalable implique que les besoins n'évoluent pas au cours de l'apprentissage et soient dès lors, en fait, considérés comme indépendants de ceux qui apprennent ou, du moins, comme liés avant tout à des constantes externes aux agents en formation (Coste 1977, 63).

L'adéquation des rapports entre les éléments de la triade besoins-objectifs-évaluation est un des thèmes principaux de la réflexion et de la recherche en pédagogie et didactique des langues vivantes de ces dix dernières années. L'idéal poursuivi est que les objectifs ne soient pas choisis et définis arbitrairement selon les vues des spécialistes, mais qu'ils le soient en fonction des besoins des différentes catégories de publics. Quant aux modes d'évaluation, ils doivent démontrer si l'apprenant a « concrètement » atteint ces objectifs, c'est-à-dire s'il est capable de répondre aux besoins langagiers qu'il aura lorsqu'il utilisera la langue dans de futures situations de communication.

Nous avons déjà mentionné l'amalgame de la notion de besoin avec celle de situation. Coste relève également « l'isomorphisme entre objectifs et besoins » (*ibid.* 63). Le mélange de ces concepts n'est pas étonnant car tous trois font référence au même domaine et servent la même cause : définir des contenus et des programmes d'enseignement/apprentissage.

> L'ensemble des données recueillies lors des investigations retenues fournit d'une part une image globale de la situation d'enseignement et permet d'autre part de *poser des objectifs* au cours de langue, compromis entre ce que sont et ce que semblent vouloir les apprenants, les demandes et les contraintes de l'institution, ce que peuvent faire enfin les enseignants. A partir de cette description, on arrive en fait à savoir (très globalement) dans quelles situations les apprenants souhaitent et/ou doivent utiliser *en priorité* la langue étrangère : situations professionnelles, situations touristiques, situations académiques, etc., situations d'oral en face-à-face, situations

> d'oral en réunion de groupe, situations de lecture, situations de communication épistolaire, situations d'examen, etc. Il s'agit donc d'« *objectifs situationnels* » (les situations de communication prioritaires dans lesquelles les apprenants auront à utiliser la langue étrangère), objectifs qui ne sont pas encore exprimés en termes d'analyse de la communication (interactions, actes de parole, gestes, règles de cohérence, etc,) (Moirand 1982, 48).

Ce texte montre bien comment on peut passer d'une notion à l'autre jusqu'à les confondre.

Cette confusion des termes est un des points forts de la critique contre l'analyse des besoins (« concept éminemment manipulable et mystificateur pour qui n'est pas averti » (Besse 1980, 64) comme préalable obligatoire à la définition des objectifs. Un autre porte sur les pratiques qui, malgré toutes les bonnes intentions, n'aboutissent en fait qu'à instituer une nouvelle technocratie : « Les objectifs poursuivis ne sont pas séparables des apprenants et présenter un cours en disant qu'il cherche à répondre aux besoins de chacun (si, évidemment ce chacun entre dans le public cible) ne peut être, à notre avis, qu'une tactique, que nous ne qualifierons pas de pédagogique, visant à stimuler indirectement des désirs piégés par une idéologie utilitaire »... « toute analyse des besoins est nécessairement biaisée par celui qui la mène ou par l'institution qui la commandite » (*ibid.* 65). Il est pourtant difficile d'imaginer un cours qui ne soit pas, d'une façon ou d'une autre, pédagogiquement adapté au public pour lequel il a été conçu. « En plaçant la définition de besoins comme démarche préalable à la formulation d'objectifs, la méthodologie a tout simplement pour la première fois replacé "les bœufs avant la charrue" » (Debyser 1978, 18).

2.2.3. *Objectifs et contenus*

Si comme l'ont démontré James et Rouve (1973) les objectifs déclarés ne correspondent souvent ni aux contenus des programmes ni à ceux de l'évaluation, la détermination des objectifs revient, en fait, dans bien des cas, à définir des contenus d'apprentissage. Souvent même, ceux-ci tiennent lieu de ceux-là. « En l'absence d'objectifs de cette nature, explicitement adoptés et consciemment planifiés, les enseignants ont souvent recours aux matériels d'enseignement qu'ils ont sous la main, qui sont même parfois imposés ; l'acquisition du contenu d'un manuel peut alors devenir, intentionnellement ou non, l'objectif, qui est ou non en rapport direct avec le but ultime de l'apprentissage » (van Ek 1981, 15). Le chapitre IV du livre de van Passel (1970) *L'Enseignement des langues aux adultes* consacré aux « objectifs de l'enseignement des langues étrangères » a pour but « de circonscrire avec plus de précision les trois niveaux suivants : la connaissance élémentaire, la connaissance de base et le perfectionnement »... et « de préciser le contenu des quatre notions particulières qui constituent, ensemble, l'usage de la langue, c'est-à-dire la connaissance passive orale, la connaissance active orale, la connaissance passive écrite et la connaissance écrite» (*ibid.* 65). Et le chapitre se termine par un tableau récapitulatif où l'on trouve pour chaque niveau le nombre exigé de «manifestations lexicales», de «structures-types», «phénomènes grammaticaux de base» ou «transformations» et de «mots par minute» que l'apprenant doit pouvoir comprendre ou produire (*ibid.* 91-92).

Ainsi, il faut ajouter un quatrième élément à la triade besoins-objectifs-évaluation : les contenus. Rappelons que nous prenons ce terme dans son sens le plus large. Se pose dès lors à nouveau le problème des relations entre les besoins, les objectifs, les contenus et l'évaluation. Différents cas de figure sont possibles :

— L'évaluation est prédominante et détermine les trois autres éléments, comme dans la situation où le projet d'enseignement/apprentissage consiste exclusivement à réussir un examen. Si l'on veut être conséquent, le contenu d'apprentissage devra être exactement le même que celui de l'évaluation. Les objectifs ne pourront être formulés, opératoirement, que dans les termes mêmes qui figurent dans les différentes épreuves de contrôle et les besoins langagiers seront identifiés uniquement à partir de l'utilisation de la langue nécessaire à la réussite de l'examen et qui correspondra nécessairement à son contenu. On voit que dans une situation extrême comme celle-ci, l'évaluation englobe le contenu, les objectifs et les besoins et se confond avec eux. Cette situation peut paraître caricaturale et exceptionnelle. Elle est en fait très courante dans les activités de bachotage inévitables à l'accomplissement de la scolarité.

— A l'inverse, les besoins langagiers peuvent être identifiés avec tant de précision qu'ils peuvent être pris pour les objectifs opérationnels ainsi que pour les contenus d'apprentissage et d'évaluation. C'est le cas, par exemple, d'une future hôtesse dans un aéroport qui n'aurait qu'à apprendre à prononcer correctement un nombre limité d'énoncés pour être à même d'annoncer le départ, l'arrivée ou le retard des avions, ou d'un chanteur qui voudrait enregistrer la traduction d'une de ses chansons.

— Les objectifs ne sont souvent pas explicitement formulés dans les matériels pédagogiques et ce sont les contenus, qu'on trouve résumés dans la table des matières ou en tête ou à la fin de chaque leçon, qui en tiennent lieu. Ces contenus n'ont, pour la plupart, pas été choisis en fonction d'une analyse des besoins et sont le fruit de l'intuition, de l'expérience et du savoir des auteurs. Aucun mode d'évaluation particulier n'est prévu et ce sont certains exercices formels qui peuvent être considérés comme moyens de contrôle.

— Des objectifs généraux ou même spécifiques, déduits ou non d'une identification des besoins, peuvent être déclarés dans l'introduction ou dans le corps d'un matériel pédagogique, mais ni les contenus ni les modes d'évaluation n'y correspondent. C'est le cas actuellement de nombreux manuels qui prétendent enseigner la compétence de communication.

— De nouveaux objectifs peuvent être recommandés ou imposés, à partir d'une représentation intuitive ou d'une analyse effective des besoins langagiers, dans des directives officielles, alors que les contenus des matériels pédagogiques et des examens en vigueur sont restés les mêmes. Cette situation est aujourd'hui fréquente dans bien des pays où les finalités de l'enseignement des différentes matières sont discutées et redéfinies sans que « l'intendance suive ».
— Mais des examens, jugés désuets, peuvent être modifiés sans que pour autant on ait tenu compte des besoins ni qu'on ait renouvelé en conséquence les objectifs et les contenus d'apprentissage.
— Bien des analyses de besoins ont été conduites, fournissant une quantité de données valables pour adapter des objectifs, contenus et modes d'évaluation aux exigences des publics concernés. Mais pour de multiples raisons possibles — manque d'argent, résistance des individus, crainte du changement, inertie institutionnelle, luttes de pouvoir, etc. — elles n'ont eu aucun effet et ont terminé leur rôle sous forme de rapports, fort intéressants certes, mais qu'on classe quand même d'abord provisoirement puis, après quelque temps, définitivement. On sait que les enquêtes et sondages ne sont souvent que des alibis pour retarder ou éviter les prises de décision.
— Des objectifs ainsi que leurs contenus d'apprentissage correspondants peuvent être spécifiés, à partir d'une représentation intuitive ou d'une analyse des besoins langagiers, sans que pour autant des matériels pédagogiques et des modes d'évaluation équivalents aient été élaborés. C'est le cas de nombreux programmes (en anglais, *syllabus*) ou d'instruments de référence tels que les niveaux-seuils.

Ces quelques exemples, parmi tous les autres possibles, montrent bien la diversité des interactions entre besoins-objectifs-contenus-évaluation. Certes, la meilleure adéquation est toujours souhaitable. Mais une fois trouvée, ne risque-t-elle pas de figer le processus d'enseignement/apprentissage ? Surtout si l'on reconnaît que :
— plus les besoins et/ou les objectifs sont définis avec précision, opératoirement, mieux les contenus d'apprentissage et d'évaluation peuvent y correspondre, avec le risque de blocage des processus pédagogiques et didactiques,
— plus les besoins et/ou les objectifs sont identifiés et formulés vaguement, globalement, généralement, plus les contenus d'apprentissage et d'évaluation peuvent être choisis et élaborés librement, avec le risque d'être inadéquats.

C'est une des ambitions de l'approche systémique que de fournir les conditions et les moyens de réaliser les meilleures adéquations possibles, mais aussi d'exploiter l'imprévu, le momentané, le changement. Et en dépit des affirmations péremptoires des théoriciens dogmatiques, nous verrons, dans le dernier chapitre, que certaines pratiques peuvent aussi servir à :
— définir des objectifs sans se référer à une identification des besoins ni à des contenus d'apprentissage et d'évaluation ;

— identifier des besoins langagiers sans que les données recueillies soient nécessairement exploitées pour définir des objectifs, contenus et modes d'évaluation ;
— choisir des contenus d'apprentissage qui ne correspondent pas à des objectifs, besoins et moyens de contrôle équivalents ;
— proposer des activités d'évaluation qui ne se réfèrent pas aux besoins identifiés, aux objectifs et aux contenus définis.

2.2.4. Objectifs et aptitudes

Le discours sur les objectifs comporte fréquemment des formulations de toute nature qui représentent le plus souvent des finalités ou intentions générales et qu'il est intéressant de considérer sous trois aspects : à quoi l'objectif exprimé fait référence, quel choix idéologique, pédagogique voire politique il représente, c'est-à-dire quel est son contenu, qu'il ne faut pas confondre avec le contenu d'apprentissage, bien que, dans certains cas, comme nous venons de le voir, il puisse en tenir lieu, et en quels termes il est formulé, c'est-à-dire quelle est sa forme. Dans de nombreuses déterminations, les objectifs sont associés aux quatre aptitudes — écouter, parler, lire, écrire — qui sont à l'origine de tous les comportements langagiers. « Quelle que soit la méthode choisie, les objectifs impliquent invariablement l'utilisation et la compréhension de certaines parties du vocabulaire, de certaines structures syntaxiques et idiomatiques, de même que la reproduction de phrases simples, écrites et parlées » (Lamérand 1969, 10). La définition des aptitudes est dans ce texte assez confuse et restrictive, la différence entre l'oral et l'écrit se rapportant uniquement à la capacité de « reproduire » (même pas de produire !) des « phrases simples » et celle entre la compréhension et la production se limitant à prendre en compte du lexique et des « structures syntaxiques et idiomatiques ». Il n'en va pas de même avec Widdowson qui commence son livre important *Une approche communicative de l'enseignement des langues* par la phrase suivante : « Les objectifs d'un cours de langue sont très souvent définis par référence aux quatre "skills" : comprendre le discours oral, parler, lire et écrire » (1981b, 11). A partir de la distinction fondamentale entre « usage » — la capacité de produire des phrases correctes dans une langue — et « emploi » — la capacité d'utiliser des connaissances linguistiques pour communiquer — Widdowson classe les quatre aptitudes selon différents critères et parvient au schéma suivant (*ibid.* 78) :

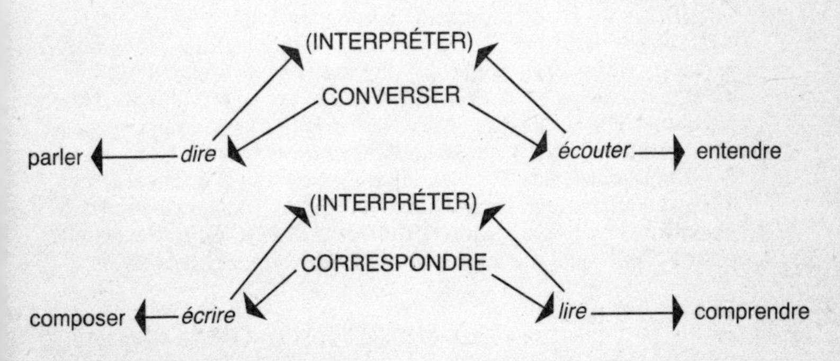

Les aptitudes en lettres capitales font référence à la manière dont elles sont mises à contribution dans l'emploi de la langue en tant que moyen de communication sociale. Elles peuvent avoir une fonction de réciprocité *(converser* et *correspondre)* ou de non-réciprocité *(interpréter)*. Celles en italiques se rapportent au mode, c'est-à-dire à la façon dont le système d'une langue est réalisé dans des actes de communication. On peut distinguer les modes oral et écrit, productif et réceptif (par exemple : *dire* et *lire*). Enfin, les dernières aptitudes se réfèrent au moyen physique par lequel un système linguistique se manifeste dans son usage. On retrouve ici la distinction entre production et réception complétée par celle entre visuel et oral. Les flèches indiquent les relations de dépendance. Ainsi, l'on peut *parler* une phrase sans *dire* quelque chose ou *dire* un sermon sans *converser* mais on ne peut pas *converser* sans *dire* et *écouter*. L'aptitude à *interpréter* consiste à traiter les données fournies par l'utilisation de la langue de façon qu'elles servent à la communication. On ne peut pas *converser* ou *correspondre,* c'est-à-dire *dire* et *écouter,* ou *écrire* et *lire,* sans *interpréter,* mais on peut *interpréter* sans *converser* ou *correspondre* comme, par exemple, lorsqu'on écoute une conférence ou qu'on écrit un roman. Le système de classification et de relations proposé par Widdowson donne aux quatre « skills » des dimensions beaucoup plus riches que celles des simples juxtapositions qu'on trouve en général sous des appellations d'ailleurs fort diverses.

La référence aux quatre aptitudes sert souvent à déterminer des niveaux comme dans la formulation suivante pour la « connaissance élémentaire passive orale » : « être à même de suivre un dialogue entre un autochtone et un étranger, portant sur des faits divers de la vie quotidienne, basé sur les 1 000 mots ou expressions les plus fréquents à l'aide d'une vingtaine de structures syntaxiques les plus fréquentes (compte tenu des impératifs grammaticaux) et à un débit d'environ 100 mots par minute » (van Passel 1970, 65). Sur le plan du contenu, cet objectif est manifestement construit en fonction de l'évaluation qui consistera à prouver qu'on a été capable de suivre un dialogue entre deux personnes en répondant, on peut le supposer, à des questions sur le sens de cette conversation. Il ne s'agit donc pas pour l'apprenant d'être en mesure de comprendre un interlocuteur pour pouvoir converser avec lui. Quant aux choix pédagogique et linguistique, il est clairement exprimé : il s'agit de faire accéder l'apprenant à la langue parlée de tous les jours, mais en la simplifiant et en la réduisant à ses manifestations lexicales et syntaxiques les plus fréquentes afin d'en faciliter la compréhension. Enfin, des contenus d'apprentissage peuvent directement être déduits de ces 1 000 mots et 20 structures. Nous trouvons dans les termes utilisés la formule classique par laquelle débutent les objectifs qui se veulent opérationnels « être à même de... » ou « capable de... » suivie d'un verbe et d'un complément qui est ici amplement spécifié. Rappelons qu'« un objectif de performance définit ce que l'étudiant est censé *faire,* c'est-à-dire qu'il définit quelque chose d'observable » (Ferguson 1976, 9).

« L'objectif : *comprendre un texte...* n'est pas observable. L'objectif : *répondre à des questions sur le texte démontrant qu'il a été compris...* est observable » (*ibid.* 10 notre trad.). Le verbe « suivre » ne définissant pas une action observable par rapport au complément dialogue, l'objectif de van Passel, malgré ses apparences, ne peut pas être considéré comme opérationnel.

D'autres références aux quatre aptitudes sont utilisées pour marquer laquelle ou lesquelles d'entre elles sont prioritaires dans un projet d'enseignement/apprentissage d'une langue étrangère. « On a soutenu récemment, en se basant aussi bien sur la linguistique que la psychologie, que la langue parlée devrait être l'objectif principal de l'enseignement des langues » (Wilkins 1974, 61, notre trad.). Dans une telle formulation, ce ne sont pas l'action ou l'état, résultats de la poursuite de l'objectif qui sont exprimés et par rapport auxquels on pourra évaluer dans quelle mesure il a été atteint ou non, c'est ce dernier qui est identifié avec l'objet même sur lequel portent ceux-là. La langue parlée *est* l'objectif, comme peut l'être une des aptitudes : « Personne n'a sérieusement contesté, ces vingt dernières années, que l'aptitude à parler est l'objectif supérieur de tout enseignement des langues étrangères » (Piepho 1978, 8 notre trad.).

2.2.5. *Objectifs et compétence de communication*

Depuis une douzaine d'années, c'est la compétence de communication qui est le plus souvent revendiquée comme objectif prioritaire.

> Une redéfinition fondamentale dans la détermination des objectifs de l'enseignement des langues étrangères est rendue nécessaire par la compétence de communication considérée comme objectif supérieur. Ce ne sont plus les données du système linguistique qui sont apprises en priorité, mais des rôles et des fonctions langagières. En conséquence, la détermination des objectifs doit considérer avant tout les facteurs pragmatiques de la communication, comme les intentions, les rôles, les situations, les présupposés du discours, l'anticipation des actions et l'expérience préalable des élèves (Pelz 1977, 45 notre trad.).

L'objectif est à nouveau identifié avec l'objet à acquérir (la compétence de communication comme objectif supérieur), qui représente le choix pédagogique. De nombreux textes explicitent, comme celui-ci, en quels termes devront être exprimés les objectifs, opposant souvent, ou ajoutant, les dimensions pragmatiques de l'utilisation de la langue à celles exclusivement linguistiques.

> On dira que sont fonctionnels des objectifs d'apprentissage qui sont décrits comme des types de compétence de communication (...). Pour caractériser des objectifs d'apprentissage de cet ordre, on peut notamment s'efforcer de déterminer dans quelles situations de communication les apprenants seront amenés à « fonctionner » à l'aide de la langue étrangère, quelles intentions de communication ils peuvent être appelés à réaliser ou à comprendre, quels statuts et rôles eux-mêmes et leurs interlocuteurs sont susceptibles d'avoir dans les

échanges visés, à propos de quels domaines de référence la communication en langue étrangère aura à s'établir (Coste 1979, 84).

Les objectifs sont associés ici directement à la compétence de communication (rappelons que Coste en dégage cinq composantes : linguistique, textuelle, référentielle, relationnelle, situationnelle) qui est plurielle, et c'est dans la mesure où celle-ci est décrite dans ses différentes manifestations qu'ils pourront être définis en termes correspondants ou identiques, c'est-à-dire, de situations, d'intentions, de statuts, de rôles, de références. L'objet des résultats de la poursuite de l'objectif n'est pas l'objectif, comme dans les exemples précédents, mais les deux éléments sont comparés de telle manière qu'on peut les considérer comme homologues. Relevons que la notion de compétence de communication, qu'on trouve en général au singulier avec une valeur d'absolu opposée à la compétence linguistique, est prise dans un sens pluriel et plus relatif. Sur le plan formel, le mot objectif est complété par un adjectif, fonctionnel, et plus loin Coste lui accole celui de linguistique. Moirand a recours à objectifs situationnels, entre guillemets, qui doivent être traduits en communicatifs (1982, 48). On trouve chez Roulet (1980, 34) l'expression d'« objectif instrumental » et chez Mariet (1977, 12) celle d'« objectifs nouveaux... parfaitement disciplinaires ». Toutes sortes d'adjectifs peuvent donc être utilisés pour qualifier les objectifs.

2.2.6. *Objectifs et enseignement fonctionnel*

Le terme de fonctionnel renvoie au domaine de ce qu'on appelle pour le français l'enseignement d'une langue de spécialité, du français de spécialité, du français instrumental, ou, plus récemment, du français fonctionnel, ou, mieux, de l'enseignement fonctionnel du français (Vigner 1980, 13-16) et pour l'anglais *English for Special,* ou depuis quelque temps, *Specific Purposes* (ESP). C'est dans cet aspect de la pédagogie et de la didactique des langues étrangères que l'analyse des besoins langagiers a été le mieux développée comme préalable obligatoire à toute spécification d'objectifs. L'enseignement/apprentissage doit faire acquérir, en général le plus rapidement possible, des savoirs, savoir-faire et comportements limités mais suffisants, et ceux-là seuls, qui rendent l'apprenant capable de faire face aux situations dans lesquelles il se trouvera, et seulement celles-là, dans sa vie professionnelle.

> La définition de l'ESP comme apprentissage et enseignement à buts spécifiques obéit à l'idée implicite que le but peut être exprimé et testé. Plutôt que d'étudier pendant une période indéterminée pour un examen général, l'étudiant d'ESP étudie ordinairement pour *jouer* un *rôle.* La mesure du succès pour des étudiants apprenant l'anglais propre aux garçons travaillant dans un hôtel, ou l'anglais de la technologie alimentaire, est de montrer s'ils sont capables d'exécuter en anglais, de façon convaincante, les tâches d'un garçon ou d'agir convenablement en anglais comme techniciens de l'alimentation (et de passer des examens en technologie alimentaire plutôt qu'en anglais) (Robinson 1980, 11 notre trad.).

C'est également dans l'enseignement fonctionnel des langues étrangères que les programmes se réclamant de l'approche communicative (qu'on confond d'ailleurs communément avec l'approche fonctionnelle) ont été appliqués avec le plus de succès.

Mais un tel enseignement n'est pas sans problème. Et il risque de se trouver dans une impasse s'il ne se donne pas des pratiques pédagogiques qui lui soient propres et si l'analyse des besoins langagiers et la détermination des objectifs continuent à ne servir qu'à fixer d'avance des contenus en termes de composantes de la communication que les apprenants ingurgitent telles quelles: « Concevoir l'enseignement de l'anglais fonctionnel comme la définition d'un contenu de cours grâce à la caractérisation minutieuse d'objectifs langagiers terminaux est une erreur dont il convient de sortir. Une telle caractérisation réduit le comportement langagier à un inventaire analytique de composants et ne rend pas compte du processus de communication en tant que tel » (Widdowson 1981a, 19-20). Rappelons la célèbre formule de Porcher reprise de Peter Strevens : « Il ne suffit pas de remplacer "voici M: Thibaut" par "voici un bec Bunsen" pour avoir mis en place une méthode d'enseignement du français scientifique » (Porcher 1976, 9).

Jakobovits et Gordon proposent une manière originale et attrayante de formuler des objectifs fonctionnels :

> Des objectifs définis traditionnellement, tels que « une connaissance de la langue » ou « une connaissance des quatre aptitudes fondamentales » sont des euphémismes pour l'absence de but ou la confusion. A la place, les objectifs devraient être définis par rapport à trois types fonctionnels majeurs, (a) l'usage de conversations banales et ordinaires ; (b) l'usage non-conventionnel de la langue ; et (c) l'usage extraordinaire et spécialisé de la langue (Jakobovits et Gordon 1974, 28 notre trad.).

Les auteurs indiquent ensuite le titre de cours à objectifs restreints dans les trois types de fonctions et qui commencent par « comment... ». Par exemple : « Comment parler français à des étrangers » ; « Comment se faire des amis en russe » ; « Comment lire la littérature classique en arabe » ; « Comment prier en thibétain » ; « Comment être traducteur simultané anglais-albanais » ; « Comment être comédien en italien » (*ibid.* 28). La formule « être capable de... » suivie d'un verbe et d'un complément est remplacée avec bonheur dans ces exemples par l'adverbe « comment ». Quelle est l'expression la plus opérationnelle ? Répétons que ce n'est pas parce que la formulation d'un objectif débute par « être capable de... » que ce dernier est plus précis et opératoire et surtout que l'apprenant acquerra nécessairement la ou les capacités requises. Les propositions de Jakobovits et Gordon ont l'avantage d'être motivantes et remplissent ainsi une des fonctions essentielles de la détermination des objectifs, celle de renseigner sur un projet d'enseignement/apprentissage et d'encourager à y participer en connaissance de cause. Que les verbes ne désignent pas exclusivement des actions observables et mesurables est dès lors de peu d'importance.

2.2.7. *Objectifs et négociation*

Dans le même article mentionné ci-dessus, Widdowson

> estime qu'il est préférable de considérer l'anglais fonctionnel non comme façon d'envisager la sélection des contenus langagiers en fonction des objectifs terminaux mais comme une façon d'envisager la présentation des contenus langagiers à partir d'une détermination préalable des problèmes dont la solution passera par la négociation du sens dans le processus discursif (*ibid.* 20).

Le concept de négociation est ici important et pourrait être utilisé dans le choix d'un objectif prioritaire au même titre que la compétence de communication dont il explicite d'ailleurs le processus fondamental.

> Toute participation à une interaction en langue naturelle suppose une négociation du sens en relation au savoir partagé. Cette négociation est le processus par lequel les règles linguistiques se réalisent en activité de communication (...). Ainsi, tout acte de communication langagière est un exercice de résolution de problème : j'ai à manipuler ce que je sais et ce que sait mon interlocuteur de manière que mon message passe effectivement. Cette utilisation de procédures de négociation pour la réalisation des règles est ce qui constitue le processus discursif (*ibid.* 14-15).

Cette négociation du sens propre aux mécanismes que nous mettons en œuvre lorsque nous communiquons ne doit évidemment pas être confondue avec celle qui permet aux partenaires d'un projet d'enseignement/apprentissage de se mettre d'accord sur les objectifs et modalités de réalisation. « La solution la plus réaliste et la plus respectueuse des intérêts des apprenants reste encore, selon nous, la négociation "coup par coup" des programmes et des objectifs avec les adultes concernés eux-mêmes. Cette négociation ne devrait d'ailleurs pas avoir lieu une seule fois au début de chaque formation, mais être reprise pour d'éventuelles réorientations au cours de la formation en fonction des effets de la formation sur les représentations des apprenants. "Négocier" est à prendre ici en son sens plein, cela implique non pas l'enregistrement pur et simple des besoins, dont nous avons déjà souligné les risques, mais une procédure de dialogue serré entre les demandes et les informations des uns et des autres » (Mariet 1977, 13). On pourrait ainsi envisager des programmes d'enseignement/apprentissage des langues étrangères qui s'organisent, systémiquement, autour d'un double objectif prioritaire défini à partir de la notion de négociation et qui consisterait à aider l'apprenant à apprendre à négocier du sens dans la pratique de la communication (apprendre à communiquer par la négociation langagière) tout en lui apprenant à négocier son apprentissage (apprendre à apprendre par la négociation pédagogique). Les objectifs, dans de tels programmes, ne seraient pas déterminés une fois pour toutes au début et seulement en fonction de la fin de l'apprentissage (objectifs terminaux ou finals), mais feraient partie des contenus grâce auxquels les apprenants apprendraient aussi bien à communiquer et à négocier qu'à apprendre une langue étrangère.

2.2.8. *Objectifs et autres références*

Le discours sur les objectifs et les formulations qu'il contient éventuellement peuvent se rapporter à de nombreux autres domaines comme, par exemple, « la découverte, par l'élève, du système et du fonctionnement de sa langue maternelle. Trois arguments justifient une telle approche... » (Roulet 1980, 34). Roulet plaide pour une pédagogie intégrée de la langue maternelle et des langues secondes estimant, à juste titre, que la prise de conscience et la compréhension des règles qu'il utilise dans sa langue pour communiquer ne peut qu'aider l'apprenant à apprendre une ou plusieurs autres langues. Relevons ici le recours à la nominalisation pour exprimer l'action désignée dans d'autres formulations par un verbe et l'association du mot objectif à celui d'approche laissant entendre qu'il existe une parenté entre les deux sans qu'on sache de quelle nature elle est. Pour Breen et Candlin (1980, 93) « Une spécification communicative des buts soutient le principe que les racines de nos objectifs peuvent être découvertes chez nos apprenants — aussi proches que puissent être ces racines de la surface de l'actuel répertoire-cible » (notre trad.). Il convient en effet de repérer quelle est la compétence de communication d'un apprenant dans sa langue maternelle pour pouvoir construire des objectifs qui ne soient pas définis comme s'il n'avait aucune expérience de la communication langagière mais qui, au contraire, prennent celle-ci comme point de départ. Nous verrons que ce repérage sera l'une des tâches de l'identification des besoins.

Une des critiques constamment faites contre l'approche communicative porte sur l'utilisation exclusivement utilitaire de la langue qu'elle impliquerait au détriment de sa dimension culturelle. « Il faut bien constater que la civilisation, comme objectif, ne joue qu'un rôle subordonné dans les nouveaux programmes » (Quetz *et al.* 1981, 63 notre trad.). La réduction de la communication à l'utilisation instrumentale d'une langue est inacceptable et il importe d'« intégrer davantage à la poursuite d'objectifs linguistiques le souci de faire connaître ce qu'est l'autre (la "civilisation") » (van Deth 1981, 643). De toute façon, quel que soit le type d'enseignement/apprentissage pratiqué, il transmet toujours quelque chose de la culture dont la langue est un moyen d'expression privilégié. Le problème est de savoir quelles en sont l'image et les pratiques que les apprenants vont retenir. « L'enseignement des langues étrangères ne peut donc pas être orienté uniquement vers l'entraînement à des aptitudes communicatives ; il signifie toujours également une confrontation avec des contenus culturels. Le choix de ces contenus dépend, d'une part, de la définition des objectifs communicatifs, de l'autre, des finalités pédagogiques générales de l'enseignement des langues étrangères qui semblent aussi avoir été ignorées par les nouveaux programmes » (Quetz *et al.* 1981, 65 notre trad.). Ce dernier texte montre bien l'étroite relation qu'il y a entre choix et définition des contenus et choix et définition des objectifs d'apprentissage ; elle peut même aboutir à leur confusion. Quant au précédent, qui figure dans un paragraphe intitulé « les objectifs de l'enseignements des langues », il offre un bon exemple du flou de certaines formulations. On pourrait, en effet, se demander ce que signifie pratiquement « intégrer » un « souci » « à la poursuite d'objectifs ». Et pourtant, l'intention n'est-elle pas, malgré l'emploi d'un terme vague, suffisamment exprimée ?

Au-delà de la connaissance de la civilisation et de la culture, c'est aussi un objectif plus ambitieux qui est souvent déclaré. « Dans le contexte de l'éducation, il ne s'agit pas seulement de faire acquérir certains types de comportements spécialisés, mais également (particulièrement lorsqu'il s'agit de l'éducation des jeunes à l'école, mais aussi dans l'éducation des adultes) du développement régulier et raisonné de l'apprenant en tant que communicateur et en tant qu'apprenant, ainsi que de son développement personnel et social » (Trim 1981, 30). L'enseignement/apprentissage d'une langue étrangère participe ainsi à l'affirmation et à l'épanouissement de l'individu en tant qu'apprenant, personne, membre d'un groupe social, citoyen. Il doit aussi développer son sens des responsabilités, ses facultés critiques ainsi que sa volonté de liberté. « L'objectif général "émancipation" ou "aptitude à l'autonomie et à la responsabilité" qui a pris de l'importance sous l'influence de l'évolution politique vers la fin des années 60 a conduit vers une approche "critique-émancipatrice" de la civilisation (Quetz *et al.* 1981, 66). En comparant ces deux textes, on constate que dans le premier un objectif est exprimé indirectement sans que le mot soit utilisé, par l'intermédiaire de la formule « il s'agit de… » suivie d'un verbe et d'un substantif avec leurs compléments, alors que dans le second, le mot objectif est identifié avec un substantif qui en désigne l'objet même.

2.2.9. Interrogations sur les objectifs

Si nous avons souvent préféré citer des textes plutôt que de les paraphraser, c'est pour mieux montrer la diversité du discours sur les objectifs aussi bien sur le plan de son contenu que de sa forme. De la mémorisation de quelques mots à l'émancipation et à l'autonomie de l'individu, les idées et les faits les plus divers peuvent être pris en considération. De même que de la définition en termes d'actions exactement mesurables à l'expression d'intentions générales et même de vœux pieux, les formulations les plus dissemblables peuvent être retenues. Il importe, dans un premier temps, de ne pas porter de jugement de valeur et d'accepter, telle quelle, toute proposition d'objectif en s'efforçant de l'interpréter et, au besoin, de lire entre les lignes. Ce n'est que lorsqu'on a situé son rôle dans un discours ou un programme et le choix idéologique, pédagogique, politique qu'elle implique, ce n'est que lorsqu'on a repéré les personnes qu'elle concerne qu'on peut prendre position. Aucun objectif n'est jamais innocent. Il est toujours l'expression d'une option qui en exclut d'autres. Par ailleurs, il fait toujours référence à quelque chose qui n'existe pas encore. Réalité purement verbale, il s'agit de savoir dans quelle mesure elle engage celui ou ceux qui l'ont émise ainsi que les partenaires auxquels elle s'adresse. Les processus d'enseignement/apprentissage étant d'une telle complexité, on peut affirmer qu'enseignant et apprenant, en fin de compte, feront toujours quelque chose de plus, ou de moins, ou d'autre que ce que tel ou tel objectif leur demande de faire.

Par rapport aux textes cités ci-dessus, nous retiendrons provisoirement les éléments suivants de la problématique :

— Que signifie le concept d'objectif opérationnel ou opératoire ? Est-il acceptable de l'étendre à d'autres critères que ceux traditionnellement proposés ?

— Est-il vraiment impératif de définir en même temps que les objectifs les moyens d'évaluer comment ils ont été atteints ? Quelles peuvent être les équivalences entre les deux définitions ?

— Quels sont les critères qui permettent de mieux différencier les notions d'objectif d'apprentissage et de besoin langagier et quels sont leurs rapports d'adéquation ?

— Quelles sont les procédures de traduction des objectifs en contenus d'apprentissage ?

— Quelles sont les articulations pratiques entre besoins-objectifs-contenus-évaluation ?

— Quelles sont les fonctions de l'identification des besoins langagiers et de la définition des objectifs et si l'une d'elles consiste à proposer des moyens de négociation, quelles en sont les conditions d'application ?

— Par rapport à la diversité des contenus possibles d'objectifs faisant référence à des domaines très différents, comment les choix, avec leurs implications pédagogiques, idéologiques, politiques, se font-ils ?

— Parmi toutes les possibilités de formulation, certaines sont-elles plus pertinentes que d'autres ?

2.3. Les modèles de construction d'objectifs

Les textes réunis sous cette rubrique proposent, sous une forme ou une autre, des moyens de définir systématiquement des objectifs d'apprentissage. Ils offrent les particularités suivantes :

— Ils sont écrits par des spécialistes pour d'autres spécialistes (auteurs de manuels, enseignants, didacticiens, conseillers pédagogiques, responsables de cours, etc.) et mettent à leur disposition des instruments de référence organisés en ensembles systématiques grâce auxquels la détermination des objectifs peut se faire avec plus de rigueur.
— Ils ont une portée générale et ne représentent pas la formulation d'objectifs d'une institution particulière, sinon à titre d'exemples.
— Ils sont extraits d'ouvrages consacrés, soit à la problématique des objectifs, soit à la didactique des langues en général.

2.3.1. *Valette et Disick*

Le livre de Valette et Disick *Modern Language Performance Objectives and Individualization* (1972) porte en sous-titre *A Handbook*. C'est en effet un manuel qui permet au lecteur de tester régulièrement sa compréhension des différents chapitres et de s'exercer à construire des objectifs selon le système proposé. Il représente la tendance behavioriste et s'inspire des taxonomies générales de Bloom (1956) et de ses collaborateurs (Krathowhl *et al.* 1964) que les auteurs ont adaptées au domaine plus spécifique de l'enseignement/apprentissage des langues étrangères. Rappelons qu'un objectif opérationnel ou de performance doit nécessairement comporter quatre éléments :

a) L'intention générale exprimée en termes d'actions portant sur un contenu.
b) L'activité et le comportement qui doivent être mesurables de façon à montrer que l'apprenant est effectivement capable d'accomplir l'intention.
c) Les conditions dans lesquelles cette activité et ce comportement sont réalisés.
d) Les critères qui vont permettre d'observer et de mesurer si l'objectif a été atteint ou pas.

Les auteurs reconnaissent (Valette et Disick 1972, 25-26) que plus les activités langagières sont complexes et globales, moins les objectifs peuvent être construits de façon strictement opérationnelle et sont ainsi, le plus souvent, limités à des tâches du type conjugaison de verbes, déclinaison de formes, manipulation de structures, etc. C'est la raison pour laquelle ils distinguent les « objectifs formels de performance » des « objectifs expressifs de performance » dont les critères de description sont moins stricts. Les avantages des constructions aussi précises que possible sont multiples et évidents (*ibid.* 4-5). Premièrement, l'apprenant sait exactement ce qu'il est censé savoir et savoir faire et surtout il comprend le sens de ses activités d'apprentissage. Deuxièmement, l'enseignant peut mieux suivre et contrôler les progrès de sa classe et de chaque apprenant et il sait exactement où son enseignement peut et doit mener. Troisièmement, des objectifs clairement définis facilitent l'individualisation de l'apprentissage ; chaque apprenant sait où il doit arriver et ce qu'il doit faire, et peut choisir lui-même, d'entente avec l'enseignant, son rythme et sa manière de travailler. Quatrièmement, ils fournissent aux conseillers pédagogiques et aux inspecteurs des critères d'évaluation et de jugement plus rigoureux. Enfin, ils sont un excellent moyen d'informer les parents, les administrateurs, les autorités ou toute personne intéressée sur les résultats recherchés et atteints par tel ou tel enseignement dans tel ou tel groupe.

Adaptant le système hiérarchique mis au point par Bloom, Valette et Disick font une première distinction entre buts en rapport avec les contenus et buts affectifs. Pour chacune de ces deux catégories, la hiérarchie suit cinq étapes différentes, chacune comportant deux ou trois sous-catégories. L'ensemble du système et les interactions entre ses éléments sont schématisés dans le tableau suivant (*ibid.* 50 notre trad.) :

Taxonomie des contenus	Taxonomie affective
Etape 1 : Aptitudes mécaniques *Perception* *Reproduction*	Etape 1 : Réceptivité *Conscience* *Attention*
Etape 2 : Connaissance *Reconnaissance* *Rappel*	Etape 2 : Sympathie *Tolérance* *Intérêt et plaisir*
Etape 3 : Transfert *Réception* *Application*	Etape 3 : Appréciation *Evaluation* *Implication*
Etape 4 : Communication *Compréhension* *Expression libre*	Etape 4 : Intériorisation *Conceptualisation* *Engagement*
Etape 5 : Critique *Analyse* *Synthèse* *Evaluation*	Etape 5 : Intégration *Caractérisation* *Initiative*

A chaque étape et sous-catégorie correspond un comportement de l'étudiant (avec la distinction interne et externe pour la taxonomie des contenus) que les auteurs résument dans deux tableaux dont nous tirons les exemples suivants :

Etape	Comportement interne	Comportement externe
4. Communication : L'étudiant utilise la langue et la culture étrangères comme moyens naturels de communication.	*Compréhension :* L'étudiant comprend, dans une situation peu familière, un message en langue étrangère ou un signal culturel contenant des éléments peu familiers.	*Expression :* L'étudiant utilise la langue étrangère pour exprimer oralement ou par écrit ses pensées personnelles. Il a recours aux gestes pour accompagner son expression (*ibid.* 41 notre trad.).

Etape	Comportement interne	Comportement externe
4. Intériorisation : L'étudiant forme ses propres idées et valeurs tirées de ses expériences d'apprentissage de la langue étrangère.	*Conceptualisation :* L'étudiant développe un système personnel de valeurs en relation avec l'étude de la langue étrangère.	*Engagement :* L'étudiant investit beaucoup de temps et d'énergie dans la poursuite de son apprentissage (*ibid.* 48 notre trad.).

Dans une seconde partie, intitulée « Classification des comportements des étudiants », ce système est appliqué à la définition de multiples exemples d'objectifs dans les domaines suivants : expression des attitudes, sentiments et valeurs vis-à-vis d'une langue étrangère et de son apprentissage, compréhension orale, production orale, compréhension écrite, production écrite, expression gestuelle, mode de vie, civilisation, littérature.

Bien que les catégories choisies et surtout leur succession hiérarchisée puissent être mises en question (on sait qu'il n'existe pas de taxonomies absolues et universelles et qu'elles sont toutes toujours l'expression de théories relatives), elles n'en offrent pas moins un cadre de référence utile et pratique à l'aide duquel on peut construire des objectifs à différents niveaux, en variant les contenus et le degré d'opérationalisation. L'application d'un tel système soulève tout le problème difficile des progressions d'enseignement et d'apprentissage aussi bien des savoirs que des savoir-faire et comportements (Coste et Ferenczi 1975). Problème difficile parce qu'on est bien obligé de décomposer d'une façon ou d'une autre les contenus pour les présenter et les faire apprendre dans un déroulement temporel. Par rapport à quels critères ces contenus seront-ils fragmentés et l'ordre dans lequel ils seront enseignés et appris sera-t-il défini ? Telle est une des questions fondamentales qui se pose aux pédagogues et didacticiens et à laquelle ils ont donné des réponses multiples, variant selon les points de vue théoriques, les croyances et expériences, mais dont aucune n'est satisfaisante, tout simplement parce que nos connaissances des processus d'acquisition des langues sont insuffisantes. Valette et Disick, par leur système hiérarchique de construction d'objectifs de performance, proposent des progressions linéaires qui partent de comportements simples, comme la perception, l'imitation ou l'attention, pour aboutir à des comportements complexes, comme la critique ou l'intégration, chacun étant mis en rapport avec l'acquisition progressive des quatre aptitudes, dont la plus simple est la compréhension orale et la plus compliquée la production écrite, et de contenus, dont la littérature est l'étape dernière. Cette conception des progressions uniques, qui vont du prétendument simple au complexe, est aujourd'hui remise en cause. D'une part, les notions de simplicité et de facilité ou de complexité et de difficulté ne sont pas du tout évidentes, tant sur le plan de l'analyse linguistique que sur celui des processus d'apprentissage. D'autre part, le déroulement temporel de l'apprentissage et l'ordre d'acquisition des savoirs, savoir-faire et comportements dépendent de tant de facteurs personnels inconnus et non maîtrisés que toute progression préétablie peut toujours se révéler inadéquate. Ainsi convient-il de concevoir des systèmes d'enseignement/apprentissage où les objectifs ne sont pas définis une fois pour toutes selon un cadre de référence rigide, ce qui conduit nécessairement à imposer des progressions uniques et obligées, mais au contraire où ils peuvent être constamment modifiés grâce à des procédures de négociation entre tous les partenaires en fonction de leurs besoins, de façon que des progressions plurielles puissent être suivies.

2.3.2. Bung

L'influence de la définition des objectifs sur le choix des progressions est encore plus impérative dans le modèle proposé par Bung qui représente l'ordre d'acquisition des quatre aptitudes et des contenus linguistiques de la façon suivante (Bung 1973, 7) (voir page 58) :

Le système élaboré par Bung sert à décrire des « modules » qui sont « les plus petites unités dans lesquelles les objectifs peuvent être commodément définis » et qui forment « un ensemble correspondant de séries potentielles d'actes langagiers pouvant être décrites comme objectifs d'apprentissage » (*ibid.* 2). L'opération de construction consiste ainsi à repérer d'abord les *situations langagières* dans lesquelles l'apprenant devra utiliser la langue. De celles-ci peuvent être dégagées une ou plusieurs *fonctions de langue,* par exemple, pour un serveur de restaurant, accueillir des clients et leur proposer une table. Ces fonctions de langue impliquent la connaissance de *catégories conceptuelles,* telle que celle, par exemple, d'espace. Ces dernières et les situations langagières déterminent pour une grande part les

Figure 1

Le diagramme △ - (2)
aptitudes de communication

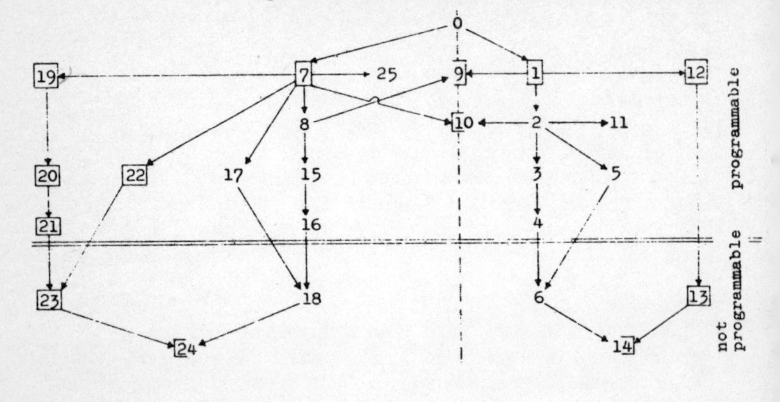

0 Début
1 Formation de l'oreille
2 Imitation orale
3 Phrases elliptiques
4 Structures et chaînes de phrases
5 Vocabulaire et idiomes
6 Discours non assisté
7 Reconnaissance de symboles écrits
8 Copie de symboles écrits
9 Dictée (x)
10 Lecture à haute voix (x)
11 Apprentissage par couple d'expressions choisies arbitrairement
12 Compréhension auditive assistée
13 Compréhension auditive non assistée
14 Conversation
15 Rédaction de phrases grammaticales
16 Consultation d'une grammaire de référence pour écrire dans la langue étrangère
17 Consultation d'un dictionnaire pour écrire dans la langue étrangère
18 Écriture non assistée
19 Principes d'une devinette systématique
20 Compréhension de la lecture
21 Consultation d'une grammaire de référence pour lire dans la langue étrangère
22 Consultation d'un dictionnaire pour lire dans la langue étrangère
23 Lecture non assistée
24 Correspondance
25 Compréhension de la grammaire (sans rapport direct avec l'acquisition d'aptitudes spécifiques à la conversation ou à l'écriture)

(x) Il s'agit d'aptitudes de conversion plutôt que de communication. Les aptitudes réceptives et partiellement réceptives sont présentées dans des compartiments fermés et ouverts respectivement. Les autres aptitudes sont productives.

Ce diagramme est la septième composante d'un ensemble, les six autres étant (*ibid.* 9) :

Figure 2

1	Situation langagière	S
2	Fonction de langue	F
3	Catégories conceptuelles	C
4	Éléments lexicaux	L
5	Règles grammaticales	G
6	Vecteur de conversion des moyens	M
7	Diagramme △	D

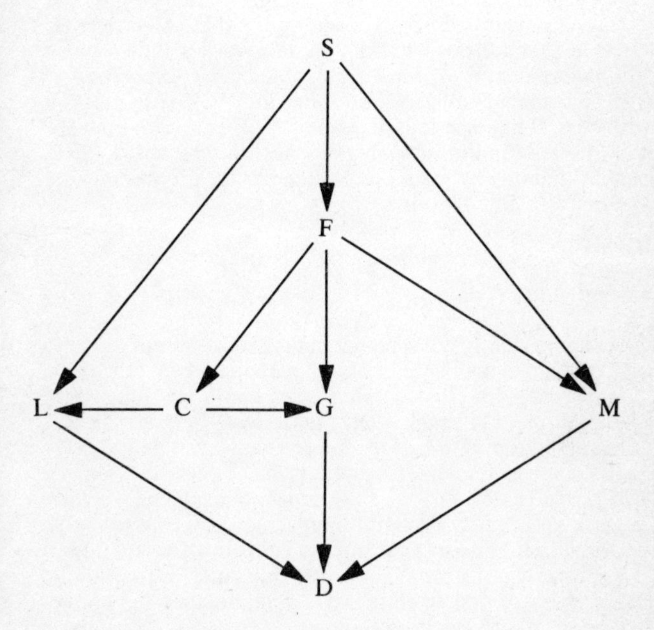

éléments lexicaux, alors que les fonctions complétées des catégories conceptuelles permettent de spécifier les *règles grammaticales* nécessaires à la réalisation des fonctions de langue. Quant aux *vecteurs de conversion*, ils servent à décider si celles-ci seront utilisées de façon productive ou réceptive selon le *diagramme* des aptitudes de communication. L'ensemble du système repose sur l'hypothèse qu'il est possible de déterminer ce que Bung nomme une « relation générale d'ordre de succession recommandé » qui facilite l'acquisition d'aptitudes et de contenus partiels préalablement sélectionnés puis organisés pédagogiquement dans des modules. Bung reconnaît que cet ordre n'est pas absolu et unique, qu'il ne s'applique qu'à certains phénomènes et qu'il doit être adapté à l'apprenant pour autant que ses besoins soient prévisibles. On peut, certes, estimer avec lui qu'il est probablement plus aisé d'apprendre en anglais à formuler des questions ou des phrases négatives si l'on sait déjà utiliser des phrases affirmatives ou, pour l'allemand, de former le pluriel des noms si on en a déjà appris le singulier. Il n'en reste pas moins que tant que nous ne connaîtrons pas mieux les processus d'apprentissage des langues, et malgré tous les efforts de la psycholinguistique et des recherches de type morphologique (Dulay et Burt 1974, Larsen-Freeman 1976, Fathman 1979) qui ne portent, expérimentalement, que sur des éléments de langue extrêmement réduits, tout ordre de succession des acquisitions dans le sens de Bung ne relève que de la spéculation. Cela ne signifie pas que son modèle de construction d'objectifs soit inutilisable. Au contraire, il permet de prendre des décisions et de faire des choix qui ne soient pas trop aléatoires, fondés aussi bien sur l'observation et l'analyse de la langue utilisée que sur une logique possible de son apprentissage. Il importe toutefois de considérer les progressions résultant de la définition des objectifs non comme des données absolues et définitives, mais plutôt comme des propositions de départ sujettes à adaptation.

2.3.3. Dalgalian et al.

Dans la lignée des modèles taxonomiques de détermination des objectifs pédagogiques, celui élaboré par d'Hainaut (1970) est certainement l'un des plus complets et en constitue la meilleure synthèse générale. Dalgalian *et al.* (1981, 66-67) en ont fait une habile adaptation au domaine de l'enseignement et de l'apprentissage des langues. La démarche de d'Hainaut peut être résumée de la façon suivante : un *objet* est transformé par une *activité intellectuelle* en *produit,* l'activité intellectuelle étant traduite en *comportement observable.* Chacune de ces catégories est divisée en cinq sous-catégories de complexité croissante. La définition d'un *objectif complet* passe alors par la détermination des *critères de succès* et du *degré d'intégration,* c'est-à-dire du niveau d'assimilation et d'appropriation de la *matière* et de la *nature* de l'objectif. De Landsheere (1975, 216) présente ainsi l'organigramme méthodologique de d'Hainaut reproduit dans le schéma de la page 62.

Dalgalian *et al.* reprennent les cinq sous-catégories des objets et des activités intellectuelles, en définissent différents types et adaptent les comportements observables en y associant des produits relatifs au domaine des langues. Ce qui donne, par exemple, pour le premier type de conceptualisation (*ibid.* 70) la présentation reproduite page 63.

Notre propos n'est pas de faire une critique détaillée de cette adaptation. Deux remarques s'imposent néanmoins. La catégorisation et la hiérarchisation des activités intellectuelles telles que présentées ici, si elles ont leur intérêt épistémologique, risquent, dans leurs applications pédagogiques, de conduire à une atomisation des contenus et pratiques allant à l'encontre des processus d'apprentissage qui tendent au contraire à traiter, selon les ressources et l'environnement de l'apprenant, des réalités langagières globales et complexes. Il est symptomatique que c'est la catégorie 2, *conceptualisation,* qui est ici la plus développée. Cela s'explique par le fait qu'elle peut aisément s'appliquer à des objets et comportements isolables. La catégorie 5, en revanche, *résolution des problèmes nouveaux,* qui représente pourtant le but essentiel de tout apprentissage, est la moins explicitée. Ainsi, en utilisant ce modèle, on sera automatiquement amené à produire une grande quantité et variété d'objectifs permettant aux apprenants de « conceptualiser », alors que ceux devant les aider à « résoudre des problèmes nouveaux » seront d'une pauvreté disproportionnée. On mettra en place, par conséquent, un enseignement/apprentissage plus axé sur la connaissance de la langue et de son système que sur son utilisation. On peut d'autre part se demander si un inventaire aussi fouillé de contenus et de comportements, avec toutes les interdépendances qu'il suppose, ne rend pas pareille méthodologie trop compliquée.

Dalgalian *et al.* ne présentent évidemment pas ce modèle comme un instrument parfait et absolu. Ils en reconnaissent les limites et les lacunes (*ibid.* 66, 68), notamment par rapport au domaine affectif. Mais on peut quand même douter de l'opportunité de se référer aux seules activités intellectuelles pour l'élaboration de systèmes d'enseignement/apprentissage centrés sur l'apprenant. Il nous semble préférable de partir d'un cadre de références socio-psychologiques qui permette de considérer l'individu en ses qualités d'utilisateur d'une langue donnée, d'apprenant de cette langue, de membre d'un groupe social, avec ses données économiques et politiques, de personne, avec ses particularités physiques, intellectuelles et affectives. On risque sinon de traiter l'apprenant comme une abstraction dont l'unique rôle est de développer des facultés intellectuelles pour apprendre les langues.

Un modèle universel qui rende compte de toutes les données impliquées dans l'enseignement, l'apprentissage et l'utilisation d'une langue est, bien sûr, inconcevable. Il faut toujours faire des choix, donc accepter d'être incomplet. Malgré leur valeur toujours relative, ces modèles sont d'un grand secours et jouent un rôle important dans le sens que d'Hainaut évoque dans un commentaire personnel aux auteurs : « Je crois que vous avez bien vu l'utilité de ma taxonomie qui, dans mon esprit, doit être non un carcan, mais un outil de travail pour mieux cerner ce qu'on fait ou ce qu'on veut faire pour imaginer des objectifs plus variés et couvrant un champ plus large et mieux comprendre les rapports entre les activités d'enseignement et celles d'apprentissage » (Dalgalian *et al. s. d.,* 27-28).

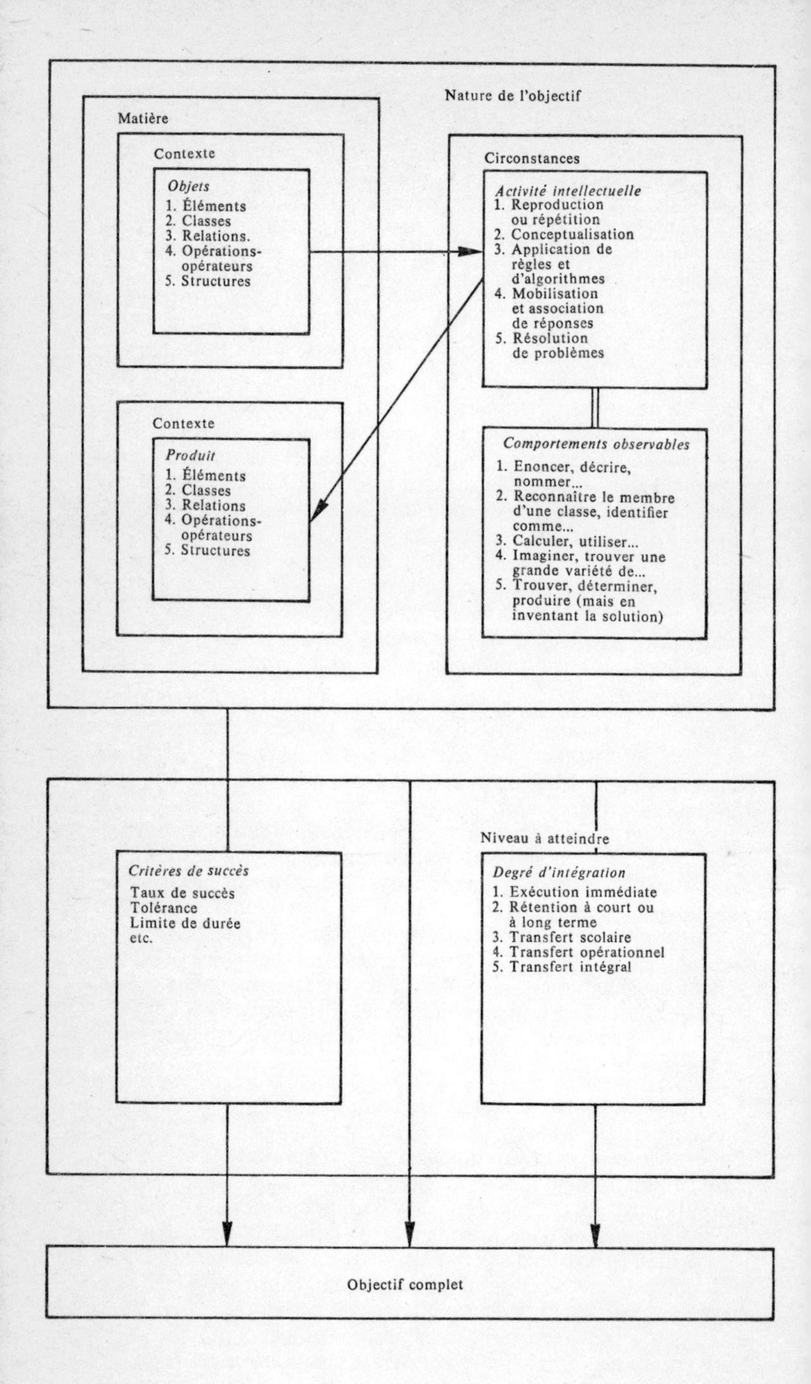
Nature de l'objectif
Matière
Contexte
Objets
1. Éléments
2. Classes
3. Relations.
4. Opérations-opérateurs
5. Structures
Contexte
Produit
1. Éléments
2. Classes
3. Relations
4. Opérations-opérateurs
5. Structures
Circonstances
Activité intellectuelle
1. Reproduction ou répétition
2. Conceptualisation
3. Application de règles et d'algorithmes
4. Mobilisation et association de réponses
5. Résolution de problèmes
Comportements observables
1. Enoncer, décrire, nommer...
2. Reconnaître le membre d'une classe, identifier comme...
3. Calculer, utiliser...
4. Imaginer, trouver une grande variété de...
5. Trouver, déterminer, produire (mais en inventant la solution)
Niveau à atteindre
Critères de succès
Taux de succès
Tolérance
Limite de durée
etc.
Degré d'intégration
1. Exécution immédiate
2. Rétention à court ou à long terme
3. Transfert scolaire
4. Transfert opérationnel
5. Transfert intégral
Objectif complet

ACTIVITES INTELLECTUELLES	TYPES D'OBJETS	COMPORTEMENTS OBSERVABLES
2. CONCEPTUALISATION : Définitions : a) C'est la capacité de reconnaître l'appartenance d'un élément à une classe, c'est-à-dire de reconnaître les caractéristiques communes à une classe ou l'absence de ces caractéristiques.	CLASSES	IDENTIFIER / RECONNAITRE / DISCRIMINER / DONNER DES EXEMPLES DE / REPRODUIRE EN CONTRASTE - un phonème isolé - un phonème dans une chaîne parlée - un schéma intonatif REFUSER - des réalisations phonétiques n'ayant pas les traits pertinents du phonème considéré - des intonations non conformes à un schéma intonatif
	CLASSES	RECONNAITRE / NOMMER - une catégorie grammaticale - un syntagme verbal ou nominal RECONNAITRE / NOMMER / DISCRIMINER - les éléments d'un paradigme lexical ou grammatical (par rapport à ceux qui n'ont pas leur place dans ce paradigme)
	CLASSES	CLASSER / ATTRIBUER - un mot ou - un syntagme DANS/ A . une catégorie grammaticale . un paradigme CHOISIR / SELECTIONNER / DISCRIMINER ENTRE - plusieurs mots ou - plusieurs syntagmes ceux qui entrent dans : . une catégorie grammaticale donnée . un paradigme donné
	CLASSES	IDENTIFIER / RECONNAITRE - un registre de langue ATTRIBUER A - un registre de langue .telle structure .tel écart de la norme morpho-syntaxique .tel choix lexical .telle composition de phrase .tel argument

2.3.4. *Les niveaux-seuils*

On connaît le rôle déterminant qu'ont joué les travaux réalisés dans le cadre du « projet N° 4 Langues vivantes » du Conseil de l'Europe dans l'évolution de la pédagogie et de la didactique des langues de ces dix dernières années. Une littérature abondante a paru à leur sujet (Trim *et al.* 1973, Conseil de l'Europe 1981, Richterich 1982a). Parmi tous ces travaux, ceux qui ont trait au niveau-seuil ont eu le plus d'impact, de telle sorte qu'on parle fréquemment de la méthode ou de l'approche niveau-seuil (SGAV 1977, Raasch 1978, Findley et Nathan 1980). L'ensemble du projet et des systèmes d'enseignement/apprentissage proposés a même été très souvent identifié avec les seules études s'y rattachant alors qu'elles ne sont qu'un élément destiné à fournir une méthodologie de construction d'objectifs et de définition de contenus langagiers. Nous nous limiterons ici à résumer les principes qui ont guidé l'élaboration des ouvrages suivants : pour l'anglais (van Ek 1975, 1977, van Ek et Alexander 1977), le français (Coste *et al.* 1976, Porcher *et al.* 1980), l'espagnol (Slaghter 1979), l'allemand (Baldegger *et al.* 1980), l'italien (Galli de'Paratesi 1981). Rappelons brièvement que la première version du « Threshold Level » de van Ek a paru sous forme ronéotypée en 1972 et qu'elle figure dans le volume de Trim *et al.* de 1973, 95-135. Elle comporte deux sections — la première intitulée « Analyse des problèmes posés par la définition, en termes opérationnels, d'un niveau de compétence de base (ou niveau-seuil) dans l'apprentissage des langues par les adultes », la seconde, « Proposition de définition du niveau-seuil » — et s'inscrit dans les premiers travaux d'approche destinés à définir « un système européen d'unités capitalisables pour l'apprentissage des langues vivantes par les adultes » (Trim 1973, 17-32, 1979). Il s'agissait en fait de déterminer un niveau de compétence générale minimum dans une langue étrangère, en l'occurrence l'anglais, permettant d'accéder, selon le principe des unités capitalisables, à des niveaux de compétence spécifique. La définition d'objectifs est ici au service de l'établissement d'un degré de connaissance et d'aptitude qui se traduit par le choix d'un contenu constitué par un certain nombre de mots, d'éléments grammaticaux et par la « définition du comportement » en relation avec les quatre aptitudes. Il faut relever que cette première version du « Threshold Level » a été élaborée parallèlement à deux autres études qui ont aussi paru en 1972 sous forme ronéotypée et été reprises dans Trim *et al.* de 1973. La première, celle de Wilkins (*ibid.* 137-154), tentait, pour décrire un contenu, de se détacher des seuls critères grammaticaux et lexicaux pour se référer à des catégories « sémantico-grammaticales », à des « fonctions de communication » et lançait ainsi, avec le succès que l'on sait, l'approche notionnelle-fonctionnelle (Wilkins 1976, Besse 1980, Wilkins 1981a, 1981b, Brumfit 1981b, Paulston 1981). La seconde, de Richterich (*ibid.* 35-66), associait la notion de besoin à celle de situation et établissait, en fait, un inventaire des paramètres nécessaires au repérage des conditions d'utilisation d'une langue étrangère dans des situations de communication.

C'est en remaniant sa version de 1972 et en s'inspirant de ces deux études que van Ek réalisa la version définitive du « Threshold Level » (1975) qui devint le modèle de tous les travaux ultérieurs. Ceux-ci, malgré des différences dues non seulement à la spécificité des langues, des publics ou des niveaux considérés, mais aussi à l'organisation interne et aux termes de référence utilisés, obéissent aux mêmes principes. Il s'agit toujours :

— de caractériser le ou les publics d'apprenants concernés par la construction des objectifs et la définition des contenus comprises dans le niveau-seuil,
— de repérer les situations dans lesquelles ils vont utiliser la langue étrangère,
— de faire l'inventaire des fonctions ou des actes de parole qu'ils devront être capables de maîtriser,
— de dresser la liste des énoncés correspondant aux fonctions ou actes à comprendre ou à produire,
— de délimiter les domaines de références qu'ils devront connaître,
— de détailler les notions spécifiques propres à chaque domaine,
— de proposer les cadres de références grammaticales.

Tous les travaux utilisant la méthodologie de définition d'objectifs de type niveau-seuil se présentent ainsi sous la forme combinée de descriptions et de listes. Répétons qu'ils ne constituent en rien une méthode ou un manuel d'enseignement des langues, même si certains en portent le titre (De Angelis *et al.* 1977, Ferguson *et al.* 1978). Ils se situent en amont des décisions et actes pédagogiques qui dépendent des auteurs de matériels, des responsables de programmes ou des enseignants, auxquels ils sont destinés (Roulet 1977, 6). Ils ne forment pas non plus des inventaires linguistiques du genre « français fondamental », ne se voulant pas prescriptifs mais plutôt suggestifs. Ils sont « un lieu de ressources, une "boîte à outils pédagogiques", un réservoir, où chacun a la possibilité de puiser pour résoudre ses propres problèmes » (Porcher 1980b, 2). Certes, de par leur histoire, ils ne sont pas sans ambiguïté. Conçus dans le cadre d'un système d'apprentissage des langues par unités capitalisables, ils devraient déterminer le niveau qui forme le « seuil » au-delà duquel l'apprenant peut avoir accès aux unités spécialisées répondant à ses besoins spécifiques. Dans ce sens, les choix qu'ils proposent, même s'il convient de les interpréter de façon très large et ouverte, sont quand même une prescription et si on associe à la définition des objectifs celle des contenus, jusqu'à les confondre, ils forment effectivement un objectif global qu'il faut d'abord atteindre pour pouvoir ensuite diversifier l'apprentissage. Mais le concept a évolué au cours des années, notamment avec la publication de *Un niveau-seuil* (Coste *et al.* 1976), et c'est aujourd'hui plutôt la méthodologie qui est retenue pour construire des objectifs et choisir des contenus variés dans une perspective systémique et communicative de l'enseignement/apprentissage des langues étrangères. Les têtes de chapitres des trois niveaux-seuils anglais, français et allemand (van Ek 1975, Coste *et al.* 1976, Baldegger *et al.* 1980), qui marquent chacun une étape dans l'élaboration du concept, figurent dans un tableau en annexe (pp. 161-165) et illustrent bien le parti méthodologique choisi.

A la différence des autres modèles de construction d'objectifs, les niveaux-seuils proposent, dans une colonne de droite, des contenus linguistiques correspondant à des catégories énumérées dans une colonne de gauche. Par exemple :

+1.2. réagir aux faits et aux événements
+1.2.1 se féliciter

a. Je me félicite d'avoir su / d'avoir pu faire cela.
de ce qui m'arrive.
de cet événement.

b. + Je suis content (de (...), que (...)).
heureux (de (...), que (...).
cf; I. 11.6.
\+ J'ai eu de la chance.
\+ Quelle chance !
j'ai (eu) une sacrée veine ! (Fam.)
\+ Bravo !
Chouette ! (Fam.)
Quel pied ! (Fam.)
voir aussi I.4.1.

(Coste *et al.* 1976, 113). DR : Il s'est félicité (...)

Les niveaux-seuils constituent ainsi non seulement des ouvrages de référence pour construire des objectifs mais peuvent aussi être considérés comme un objectif en soi, si l'on confond cette notion avec celle de contenu. Dans cette perspective, ils appartiennent au vaste domaine de ce que les Anglais nomment *« syllabus and curriculum design »,* c'est-à-dire l'élaboration des contenus et des programmes d'apprentissage (Banathy et Lange 1972, Wilkins 1976, Clark 1979, Breen et Candlin 1980, Harding *et al.* 1980, Johnson 1982). La comparaison de leurs composantes indique bien leurs analogies et leurs différences. Mais leur fonction est toujours la même : fournir aux auteurs de matériels, aux responsables de cours, aux enseignants, des catégories de références, autres que seulement linguistiques, qui soient organisées en un système qui les rende complémentaires les unes des autres. A certaines d'entre elles correspond un choix de réalisations langagières. L'ensemble doit servir de centre de ressources pour définir, en termes d'utilisation de la langue, des objectifs et des contenus d'apprentissage. *The Threshold Level* peut être considéré comme un modèle plus limité et prescriptif, mais d'un emploi aussi plus simple, qu'*Un niveau-seuil.* Celui-ci propose en effet, dans une partie originale par rapport à l'anglais, un inventaire très large et détaillé d'actes de parole qui peut, par son ampleur, dérouter quelque peu l'utilisateur. Les catégories sémantico-logiques de la grammaire ne sont, de même, pas toujours aisées à comprendre. *Kontaktschwelle* est une heureuse synthèse, avec quelques apports nouveaux, des niveaux-seuils anglais et français.

2.3.5. *Interrogations sur les modèles de construction*

Les modèles présentés ici ne sont que quatre exemples parmi d'autres (Gorosch 1973, Freihoff et Takala 1974, Besson *et al.* 1979, 5-35). Leur principe est toujours de déterminer des catégories et de les organiser en système. C'est par le choix et le mode de présentation qu'ils peuvent varier et conduire à des options pédagogiques différentes. L'influence de la définition des objectifs sur les pratiques n'est toutefois pas aussi évidente que d'aucuns veulent bien le croire. Nous ne répéterons jamais assez que ce n'est pas parce qu'on a défini de « bons » objectifs et de « bons » contenus que l'enseignement sera nécessairement « meilleur ». Nous n'en voulons pour preuve que cette utilisation pour le moins curieuse d'*Un niveau-seuil* à laquelle nous avons assisté et qui consistait à distribuer aux apprenants des photocopies de certaines pages de la partie des actes de parole. Les énoncés de la colonne de droite comme choix de réalisations des actes énumérés dans celle de gauche étaient expliqués et traduits. Les apprenants devaient ensuite les apprendre par cœur, selon la bonne vieille méthode du cache, comme on le fait avec des listes bilingues de vocabulaire. Cet usage d'un niveau-seuil est évidemment abusif et fondamentalement contraire à sa fonction. Mais cela montre bien que toute détermination d'objectifs et de contenus ne se suffit pas à elle-même, quelles que soient les catégories auxquelles elle se réfère, et qu'elle doit être complétée par une méthodologie d'application qui propose les moyens pédagogiques et didactiques nécessaires à sa transformation en pratiques adéquates.

En ce qui concerne les catégories par rapport auxquelles les modèles de construction d'objectifs sont élaborés, nous pouvons retenir trois classes qui font référence :
— A la linguistique : phonologie, morphologie, syntaxe, sémantique, lexique, notions, thèmes, objets, champs de référence, fonctions, actes...
— A la psychologie : activités intellectuelles, domaine psychomoteur, cognitif, affectif, processus d'acquisition et d'apprentissage, aptitudes, attitudes, comportements...
— A la sociologie : publics, situations, pouvoirs, attitudes, comportements...

Il est évident que ces classes n'ont de valeur que pour des besoins d'analyse et que dans la réalité de l'apprentissage et de l'utilisation d'une langue elles sont constamment en interdépendance.

Quant aux modèles, ils dépendent du choix et de la manière d'organiser et de présenter les catégories. Nous distinguerons les types suivants :
— Les systèmes dont les catégories sont organisées de façon hiérarchique (ex. Valette et Disick, Bung).
— Les systèmes non hiérarchisés (niveaux-seuils).

— Les systèmes qui prennent comme référence de départ des catégories psychologiques (ex. Valette et Disick, Dalgalian *et al.*).
— Les systèmes qui prennent comme référence de départ des catégories sociologiques et linguistiques (Bung, niveaux-seuils).
— Les systèmes qui ne proposent pas de contenus sinon à titre d'exemples ou en termes généraux (Valette et Disick, Dalgalian *et al.*).
— Les systèmes qui proposent des contenus (niveaux-seuils).

L'analyse et l'utilisation des modèles de construction d'objectifs posent, en plus de celles mentionnées à propos du discours sur les objectifs, d'autres questions :

— Dans quelle mesure le choix des catégories et leur organisation en un système donné déterminent-ils ou non des pratiques pédagogiques ?

— Dans quelle mesure les systèmes hiérarchisés imposent-ils des progressions d'enseignement et d'apprentissage prédéterminées ?

— Est-ce que les modèles de construction privilégient certains types de formulation à l'exclusion d'autres ?

— Quel est le rapport entre l'utilisation d'un modèle et l'identification des besoins ? Est-ce que celle-ci précède celle-là ? Ou est-ce que le modèle présuppose déjà une identification ?

2.4. Les formulations d'objectifs

Les exemples de formulations que nous avons cités précédemment étaient tirés de textes généraux sur les objectifs et n'avaient pas d'implication directe dans l'enseignement/apprentissage en vigueur dans une institution donnée. Nous examinerons maintenant comment les objectifs sont formulés dans des textes aux caractéristiques suivantes :

— Ils ont été écrits par des spécialistes, commissions, groupes de travail, pour le compte d'institutions : institutions de formation, organes officiels administrant l'éducation, maisons d'édition, etc.

— Les objectifs qui y sont formulés ont, ou devraient avoir, une influence directe sur l'enseignement/apprentissage pratiqué dans l'institution pour laquelle ils ont été définis.

— Ces textes s'adressent à toute personne concernée à un titre ou un autre par l'enseignement/apprentissage dans telle ou telle institution.

— La formulation des objectifs peut prendre des formes diverses et figurer dans différents types de textes : programmes, plans d'étude, directives, recommandations, tables de matières, préfaces à des matériels, leçons ou unités, prospectus, etc.

2.4.1. Textes émanant d'institutions de formation

Rappelons que sur le plan institutionnel, la fonction d'un objectif est de donner un certain nombre d'informations sur les connaissances qu'une institution estime devoir être acquises par les individus qui y apprennent une langue ainsi que sur les conditions de son enseignement/apprentissage. Ces informations peuvent avoir un caractère plus ou moins contraignant. Pour analyser les objectifs formulés dans ces textes, nous aurons recours à la grille suivante qui doit nous aider à repérer les termes et les catégories utilisés pour donner les informations :

Termes servant à	**Informations concernant**
1. introduire l'expression de l'objectif	
2. indiquer des actions d'enseignement et/ou d'apprentissage	a) la langue et son système : de la phonétique à la pragmatique (domaine de la linguistique)
3. expliciter ces actions d'enseignement et/ou d'apprentissage	
4. indiquer le ou les objets des actions d'enseignement et/ou d'apprentissage	
5. expliciter le ou les objets des actions d'enseignement et/ou d'apprentissage	
6. indiquer des capacités résultant des actions d'enseignement et/ou d'apprentissage	b) l'enseignement et l'apprentissage : les capacités, les attitudes, etc. (domaine de la psychologie)
7. expliciter ces capacités	
8. indiquer le ou les objets des capacités	
9. expliciter le ou les objets des capacités	
10. préciser les conditions d'atteinte de l'objectif	c) l'utilisation de la langue : les situations, les rôles, etc. (domaine de la sociologie)
11. préciser les conditions de contrôle de l'objectif	

Les Universités populaires de la République fédérale d'Allemagne ont fourni un effort exemplaire pour définir de façon cohérente et explicite les objectifs et contenus de leurs certificats introduits en 1967 pour l'anglais puis pour d'autres langues (Deutscher Volkshochschul-Verband 1977, 5-12). A la recherche de moyens de certification rigoureux, elles ont développé des batteries de tests objectifs qui représentaient bien la tendance prédominante de l'époque. Vers le milieu des années 70, elles ont fondamentalement renouvelé leur mode de définition, notamment sous l'influence des travaux du Conseil de l'Europe. Les différents certificats, et leur dernier avatar, le « Grundbaustein », sont présentés dans des brochures qui fournissent, outre des modèles de tests et diverses informations pratiques, les objectifs par rapport aux quatre aptitudes. Des listes spécifient les intentions de parole, les thèmes, les situations et les types de textes constituant la base des contenus linguistiques qui sont détaillés dans deux autres listes, l'une de structures grammaticales, l'autre de vocabulaire. Nous avons affaire ici à un modèle de définition d'objectifs et de contenus analogue à celui proposé par les niveaux-seuils et obéissant aux mêmes principes, à la différence que tout ce qu'il définit représente les exigences d'enseignement et d'apprentissage d'une institution.

Ainsi, dans *Das VHS Zertifikat Französisch* (Deutscher Volkshochschul-Verband 1977, 14 notre trad.), nous trouvons les termes suivants :

> I. Objectif : compréhension orale
> Développement d'une compréhension orale qui rend l'apprenant capable de comprendre des énoncés produits à un rythme normal, avec seulement des écarts minimes par rapport à une langue parlée standard non régionale et qui font référence à la vie quotidienne dans leurs contenus particuliers et/ou dans leur expression générale.

En nous référant à notre grille de repérage, nous pouvons constater que (les chiffres renvoient aux catégories de termes, les lettres aux catégories d'informations) :

2.b) l'indication d'une action d'enseignement *(développement)* porte
4.b) sur l'objet de la *compréhension orale* qui doit rendre
6.b) l'apprenant *capable* de *comprendre*
7.a)c) sous certaines conditions *(rythme normal, écarts minimes, langue standard,* etc.*)*
8.a) des *énoncés*
9.c) faisant référence à la *vie quotidienne.*

On voit d'emblée que cet objectif donne très peu d'informations de type linguistique et qu'il s'attache surtout à décrire une aptitude et les conditions dans lesquelles elle devra s'exercer. Chaque formulation est complétée par des « définitions des notions » qui explicitent certains des termes utilisés. Dans notre citation, les expressions suivantes reçoivent une explication : « à un rythme normal », « écarts minimes », « langue parlée standard », « énoncés ». « A un rythme normal », par exemple, est défini de la manière suivante :

> — Le rythme de production orale n'est pas ralenti pour une raison didactique.
> — La façon de parler n'est pas influencée par l'expression de sentiments marquants (*ibid.* 14).

Pour nombre d'institutions, la définition d'objectifs sert essentiellement à établir des niveaux de connaissance ou d'aptitude qui représentent la maîtrise de certains contenus et qui sont sanctionnés par des examens ou tests. Si, en général, elles définissent, comme les Universités populaires de la République fédérale d'Allemagne, un niveau terminal, aboutissement d'un long apprentissage avec, éventuellement, un ou deux niveaux intermédiaires, on peut imaginer des modes de définition plus complexes. La Compagnie IBM France a mis au point, en 1974, pour l'organisation de l'enseignement de l'anglais à son personnel, un système basé sur un test qui permet d'attribuer à chaque candidat à la formation un niveau de performance étalonné 0.5, 1.0, 1.5 jusqu'à 5.0 et de lui offrir, si nécessaire, le cours de perfectionnement correspondant aux besoins langagiers de sa fonction dans l'institution (© Cie IBM France, 1974). Chaque niveau est d'abord caractérisé par un certain nombre d'objectifs d'ordre général *(Level Rationale)*. Le premier et le dernier, par exemple, le sont de la façon suivante :

> Niveau 0.5
> A ce niveau, une personne :
> — apprend à entendre de simples phrases et à reconnaître leurs domaines de référence,
> — peut reproduire des phrases en imitant un modèle, mais ne peut pas les produire spontanément en situation,
> — peut interpréter de simples mots-signes (*push, pull, stop, go, think,* etc.).

Nous avons ici les éléments de formulation suivants :

— 1. Introduction 2.b) action d'apprentissage 5.a) expliciter l'objet de cette action 4.a) objet de l'action 2.b) action d'apprentissage 4.a) objet de cette action,
— 6.b) capacité 8.a) objet de cette capacité 7.b)a) expliciter cette capacité 6.b) incapacité 8.a) objet de cette incapacité 7.b)c) expliciter cette incapacité,
— 6.b) capacité 9.a) expliciter l'objet de cette capacité 8.a) objet de cette capacité.

> Niveau 5.0
> A ce niveau, une personne :
> — est bilingue, c'est-à-dire qu'elle peut employer la langue étrangère avec la même compétence que sa langue maternelle,
> — elle est à l'aise dans n'importe quelle situation dans sa profession ou hors de sa profession comme elle peut les connaître en vivant dans un pays étranger ou en travaillant dans une entreprise internationale.

Le principe de repérage des éléments de formulation étant toujours le même, nous ne pensons pas qu'il soit utile de l'appliquer en détail à chaque exemple reproduit dans ce chapitre. Relevons néanmoins ici la formule « est à l'aise » pour exprimer une aptitude et qui montre une nouvelle fois combien toutes les ressources d'une langue peuvent être mises à contribution pour définir des objectifs, ce qui n'en facilite pas la lecture et l'interprétation.

Les neuf niveaux de 0.5 à 4.5 sont ensuite spécifiés par rapport aux neuf domaines suivants :

> Écouter-comprendre, recueillir des informations, donner des informations, présenter, rapporter, écrire pour donner des informations, utiliser la langue dans les relations sociales, planifier-décider, contrôler-prendre des initiatives.

Nous obtenons ainsi un tableau de 81 cases, appelé *Level Performance Charts,* dans chacune desquelles figurent de un à trois objectifs particuliers. La majorité des formulations suit le schéma classique :

6)b) indication d'une capacité, en général introduite par « peut »,
7)b)c) éventuellement explication de cette capacité,
8)a)c) objet de cette capacité,
9)a)c) éventuellement explication de cet objet.
Par exemple :

> Niveau 0.5/Écrire pour donner des informations :
> « Peut écrire son nom et son adresse. »
>
> Niveau 4.5/Écouter-comprendre :
> « Peut comprendre des interlocuteurs de différentes nationalités, sans difficulté, mais ne saisit pas toutes les nuances d'expression. »
>
> Niveau 3.5/Utiliser la langue dans les relations sociales :
> « Raconte des histoires drôles et comprend le 50 % des histoires drôles qu'il entend » (notre trad.).

Une définition aussi détaillée des objectifs permet une grande rationalisation de l'enseignement. En effet, à chaque niveau est attribué un certain nombre d'heures d'apprentissage. A partir des résultats obtenus au test diagnostique, chaque employé peut comparer ses capacités actuelles avec celles que l'institution a retenues selon les différentes fonctions professionnelles et suivre, si nécessaire, le ou les cours grâce auxquels il pourra accéder au niveau requis. Les responsables de la formation peuvent ainsi évaluer avec précision le temps et le coût de chaque apprentissage et programmer les cours les plus rentables selon la demande. Dans l'ensemble du système qui cherche avant tout, et c'est normal pour une entreprise comme IBM, à établir le rapport optimum entre coût et efficacité, la définition des objectifs remplit une triple fonction : informer, contrôler, programmer. Relevons que la formulation des objectifs qui procède par affirmation péremptoire (« peut » + capacité) ne laisse pas de place à la négociation et aux changements éventuels en cours d'apprentissage ; elle impose, tout y étant, par souci de rentabilité, strictement prévu, un système de formation extrêmement contraignant.

Dans le même ordre d'idées, The English Language Teaching Development Unit of Oxford University Press a élaboré en 1975, pour une entreprise suédoise, une échelle d'objectifs intitulée *English Language. Stages of Attainment Scale* (English Language Teaching Development Unit 1975) qui a connu un grand succès et a été adaptée à la définition de nombreux programmes de langues de diverses institutions. Huit niveaux ont été retenus, désignés par les lettres de A à H, chacun étant spécifié par rapport à 27 domaines regroupés autour des trois aptitudes : « Compréhension et production orales » (par exemple, « Usage du téléphone », « Participer à des conférences/séminaires »), « Lecture » (« Abréviations », « Journaux »), « Production écrite » (« Correspondance habituelle/non habituelle », « Rapports ») (*ibid.* 7). Nous retrouvons le même mode de formulation que chez IBM avec « peut » +

capacité, éventuellement explicitée, et objet, éventuellement explicité, à la différence que les objectifs sont un peu plus détaillés, car ils contiennent très souvent plusieurs capacités et objets avec leurs spécifications éventuelles. De plus, fréquemment, une incapacité est exprimée avec la formule « mais ne peut pas... ». Par exemple :

> Lecture. Abréviation : termes de management, identification de documents, tableaux/horaires, notes, telex, télégrammes.
> Niveau D.
> Peut comprendre des abréviations de termes anglais dans le contexte professionnel (FOB CIF, etc. dans l'import/export). Peut comprendre des abréviations communément utilisées dans le contexte professionnel pour l'administration quotidienne (classer, faire circuler, etc.). Peut comprendre (et traduire si nécessaire) des telex/télégrammes simples de routine et peut interpréter des formes standardisées de langage condensé.
> Mais ne peut pas traiter des telex/télégrammes exceptionnels, ni comprendre des abréviations hors du contexte professionnel, ni donner le sens anglais d'abréviations communes (e.g. i.e., etc.) (*ibid.* 21 notre trad.).

Si l'on considère l'ensemble des formulations d'objectifs dans les documents des trois institutions prises comme exemples, on constate que très peu donnent des informations de type a), c'est-à-dire linguistique, et que la plupart décrivent des aptitudes ou des actions portant sur des objets en relation avec l'utilisation de la langue (informations de type c). Cela provient du fait que ces institutions offrent des programmes destinés aux adultes dans le cadre d'une formation soit générale soit professionnelle, mais aussi que ces définitions datent de l'époque où l'approche communicative commençait à s'imposer. Toutefois, ce type de formulation est très souvent complété par des informations linguistiques sous forme d'indications ou de listes de structures, de problèmes grammaticaux, de mots, d'actes de parole, qui déterminent les contenus correspondant aux objectifs proposés. *Das VHS Zertifikat Französisch* (Deutscher Volkshochschul-Verband 1977), par exemple, fournit une liste de « Structures grammaticales » (81-107) et une « Liste de vocabulaire » (109-131) qui prescrivent, en fait, avec tous les détails nécessaires, le contenu linguistique à enseigner et à maîtriser pour réussir le certificat. De son côté, l'*English Language. Stages of Attainment Scale* (English Language Teaching Development Unit 1975), donne en fin de brochure (pages impaires 39-63), pour les niveaux A et E, des indications de caractère moins prescriptif mais également détaillées sur les « Spécifications langagières », avec les rubriques suivantes : « Grammaire nouvelle », « Grammaire ancienne avec emploi nouveau », « Nouveaux actes de communication », « Choix étendu d'actes de communication », « Le processus d'échange d'information », « Modalité et information » « Organisation rationnelle de l'information », « Lexique et situation ».

Dans la brochure intitulée *New Objectives in Modern Languages Teaching* et publiée par l'Oxfordshire Modern Language

Advisory Committee (1978), ce sont les listes de structures et de mots qui tiennent lieu, pratiquement, de formulation des objectifs qui se confondent ainsi avec les contenus. En effet, les informations de type b) sont réduites à leur plus simple expression sous la forme des titres des trois aptitudes retenues : « Parler », « Écouter », « Lire », de même que celles de type c), limitées aux six thèmes/situations choisis : « Voyage », « Café-Restaurant », « Achats », « Logement », « La ville », « Information personnelle et conversation ». Pour « Café/Restaurant »/ « Écouter », on trouve les structures suivantes : « Vous désirez ? » « Vous avez choisi ? » « Vous voulez boire quelque chose ? » « Tout de suite ». « Ça fait... francs » (*ibid.* 12). Deux niveaux sont définis par des listes de structures et de mots, pour le français et l'allemand, et trois tests à choix multiple permettent de contrôler l'acquisition de chaque niveau. A la limite, il est possible de les passer avec quatre-vingt-dix à cent pour cent de chance de réussite uniquement en sachant par cœur les différentes listes des contenus. On peut se demander si le choix et la formulation des objectifs déterminent nécessairement un type d'enseignement/apprentissage correspondant. Nous avons vu que ce n'était pas le cas, notamment avec les niveaux-seuils. Avec l'exemple ci-dessus, en revanche, on peut craindre que le choix et la formulation des objectifs/contenus et leur adéquation avec les moyens d'évaluation conduisent effectivement à pratiquer une pédagogie qui favorise l'apprentissage par cœur de structures et de mots isolés.

2.4.2. Textes officiels

Le problème de l'influence, éventuellement du pouvoir, que peut exercer la détermination des objectifs sur l'enseignement réel dans les classes de langues se pose évidemment avec les textes officiels émanant des ministères, départements, écoles, etc. Quel est, par exemple, l'impact d'une déclaration comme celle-ci : « Il importe que l'élève apprenne la langue étrangère, mais il importe encore davantage qu'il apprenne à prendre des décisions, à assumer des responsabilités et à coopérer » (Schweizerische Konferenz der Kantonalen Erziehungsdirektoren 1976, 11). Comment un enseignant va-t-il se sentir concerné par un tel objectif ? Peut-il être forcé de mettre en œuvre les moyens de l'atteindre ? Comment les apprenants, et si ce sont des enfants, leurs représentants, peuvent-ils faire pression pour qu'une pédagogie correspondante soit appliquée ? Comment enseignants, apprenants, parents peuvent-ils exprimer efficacement leur désaccord envers une telle recommandation ? Autant de questions d'une complexité telle que nous ne pouvons pas les traiter ici, d'autant plus que des réponses ne peuvent être données que par rapport aux systèmes éducatifs et politiques des différents pays et par rapport au fonctionnement de leurs institutions représentatives. Remarquons simplement que bien souvent ces textes ne sont pas connus des enseignants et restent, par conséquent, lettre morte. Ils ne produisent généralement d'effets qu'à longue échéance et tant que les objectifs qui y sont proposés ne sont pas traduits en matériels pédagogiques adéquats, ils ne seront pas atteints. Enfin, si les enseignants n'ont pas l'occasion de se former efficacement et de façon permanente, tout texte officiel proposant des changements restera une suite de mots sans conséquences. Car n'oublions pas que toute formulation d'objectifs n'est qu'un ensemble de mots et qu'en pédagogie, dire, ce n'est pas nécessairement faire !

Retenons de la formulation ci-dessus que les objectifs ne figurent pas toujours explicitement en tant que tels dans les textes officiels, mais comme commentaires relevant plutôt du discours sur les objectifs. On peut toutefois interpréter la recommandation ci-dessus, qui se trouve dans un paragraphe intitulé « Objectifs de didactique générale », comme un objectif avec les éléments suivants :

3.b) Explicitation d'une action d'apprentissage *(Il importe)*
2.b) Action d'apprentissage *(apprenne)*
4.b) Objet de cette action *(la langue étrangère)*
3.b) Explicitation d'une nouvelle action d'apprentissage *(il importe encore davantage)*
2.b) Action d'apprentissage *(apprenne)*
4.b)c) Objets de cette action *(à prendre des décisions...)*.

On rencontre dans ce type de textes toutes les variantes de formulations qui vont de l'expression de capacités avec la formule « être capable de... », ou ses équivalents, aux déclarations d'intentions généreuses et souvent moralisantes. A ce sujet, il est intéressant de comparer deux textes publiés à vingt ans de différence et émanant de deux institutions analogues, mais de pays opposés par leur système éducatif. Le premier se trouve dans le Bulletin officiel du ministère de l'Education, du ministère des Universités et du ministère de la Jeunesse, des Sports et des Loisirs, du 14 mai 1981, à Paris, et porte le titre : *Instructions pour l'enseignement des langues vivantes. Classe de seconde.*

> Contribuant à l'épanouissement de la personnalité de l'individu au sein du groupe humain, ainsi qu'à la formation du caractère par la pratique consentie de l'effort qui constituent l'objectif général de l'éducation, l'enseignement des langues vivantes se donne comme objectifs particuliers dans le second cycle :
> — d'évaluer et de consolider les acquis du premier cycle de manière à assurer la continuité des orientations, du travail, des progrès ;
> — d'étendre, d'approfondir et de diversifier ces acquis et, en premier lieu, dans le domaine des savoir-faire linguistiques fondamentaux ;
> — d'élargir l'information des élèves dans le domaine culturel, par l'étude de documents de toute nature, représentatifs des civilisations et des cultures des peuples dont on étudie la langue ;
> — de donner aux élèves les moyens d'un développement autonome ultérieur, le désir et la possibilité de poursuivre et d'approfondir l'étude des langues choisies (*ibid.* 4).

Le second texte date de 1961 et figure dans un plan d'études des écoles d'un canton suisse :

Langues modernes. But.
L'étude des langues modernes contribue à:
élargir l'horizon de l'élève par la rencontre avec une autre culture,
pénétrer et respecter, par la connaissance d'auteurs représentatifs, le génie des peuples dont on étudie la langue,
créer un climat de sympathie, promouvoir une meilleure compréhension entre les peuples en général, entre suisses alémaniques, tessinois et suisses romands en particulier,
aiguiser le sens linguistique et reconnaître, par comparaison, le caractère propre de la langue étudiée,
préparer à un autodidactisme efficace.
En vue du but général, l'enseignement des langues modernes devra permettre aux élèves:
de comprendre la langue parlée et écrite,
de soutenir une conversation facile et de s'exprimer dans une rédaction simple,
d'entreprendre et d'apprécier des lectures personnelles (Direction de l'instruction publique du canton de Berne 1961, 64).

Il n'est pas nécessaire de procéder à une analyse détaillée de ces deux textes pour saisir la permanence et l'universalité de certaines idéologies éducatives, car, en termes différents et à part certaines particularités (le second cycle pour la France, le trilinguisme pour la Suisse), ils expriment des objectifs très proches. La référence à l'autonomie est particulièrement frappante. Et s'il fallait une preuve que la formulation d'un objectif, même dans un texte officiel, ne signifie pas qu'on va automatiquement chercher à l'atteindre, cette référence nous la fournirait de façon irréfutable. Car à notre connaissance, ni en France ni dans le canton de Berne, le « développement autonome ultérieur » ou l'« autodidactisme efficace » ne sont à l'ordre du jour pédagogique, surtout pas dans l'enseignement officiel des langues vivantes. Sur le plan de la formulation, on notera que ces objectifs n'expriment pas directement une capacité que l'apprenant doit acquérir. Elle doit être déduite de l'action d'enseignement mentionnée (« élargir l'horizon », « élargir l'information »). Le point de vue adopté est donc celui de l'enseignement, alors que dans l'exemple d'IBM, c'est plutôt celui de l'apprentissage, puisqu'on y décrit ce que l'apprenant est capable de faire à différents moments. On appréciera enfin, au passage, certaines expressions telles que « la formation du caractère par la pratique consentie de l'effort », « pénétrer et respecter le génie des peuples » ou encore « aiguiser le sens linguistique ».

La différence des points de vue que nous venons de relever entre enseignement et apprentissage ne nous paraît pas pertinente dans les formulations d'objectifs. C'est la raison pour laquelle nous n'avons pas retenu la distinction que l'on fait souvent entre objectifs d'enseignement et objectifs d'apprentissage. L'argument qui prétend qu'un objectif est « meilleur » s'il décrit ce que l'apprenant sera capable de faire concrètement plutôt que ce que l'enseignement veut atteindre nous paraît simpliste. Car il suffirait de transformer l'objectif d'enseignement « L'étude des langues modernes contribue à élargir l'horizon de l'élève par la rencontre avec une autre culture » en l'objectif d'apprentissage suivant: «L'élève est capable d'élargir son horizon par la rencontre avec une autre culture». De même, est-ce parce qu'on déclare: «L'enseignement des langues modernes devra permettre aux élèves de comprendre la langue parlée et écrite» ou «Les élèves seront capables de comprendre la langue parlée et écrite» que l'on formule un objectif d'enseignement ou d'apprentissage ? Une distinction qui repose sur de telles astuces de langage ne nous paraît pas très judicieuse.

La formulation des deux objectifs suivants est révélatrice à cet égard. «Interrogé sur une matière étudiée, l'élève devra pouvoir répondre à des questions se rapportant au texte d'une leçon du livre» (Département de l'Instruction publique du canton de Fribourg 1977, Allemand, 1) ; «L'élève doit être capable, après avoir écouté un texte, de répondre à des questions sur son contenu et ensuite de résumer les informations données» (Freie und Hansestadt Hamburg. Behörde für Schule, Jugend und Berufsbildung 1974, Rahmenrichtlinien Französisch, 13 notre trad.). Ainsi formulés, ces deux objectifs devraient appartenir à la catégorie apprentissage. Et pourtant ce qu'ils expriment relève de l'enseignement le plus scolaire qui soit, puisque l'aptitude à parler se réduit à être capable de répondre à des questions sur un texte ou à résumer des informations données dans la seule situation de l'examen.

Quand on pense au temps passé par d'innombrables commissions, groupes de travail, individus à chercher de «bonnes» formulations d'objectifs, mais qui ne véhiculent que des pédagogies stériles, on peut se demander si l'investissement en vaut la peine. Et s'il fallait choisir, nous préférerions «aiguiser le sens linguistique» de nos élèves plutôt que de les rendre capables de «répondre à des questions se rapportant au texte d'une leçon du livre» !

2.4.3. Matériels pédagogiques

Si les objectifs définis dans les textes officiels ou par les modèles de construction laissent complètement ouvert le champ des modes et possibilités de les atteindre ou non, ceux formulés dans les matériels pédagogiques sont beaucoup plus contraignants. Ce sont eux qui, en fin de compte, vont avoir le plus d'influence sur l'enseignement/apprentissage. Bien qu'un enseignant puisse aussi les interpréter ou même les refuser, ils seront quand même toujours présents dans les contenus et activités pédagogiques imposés par les matériels.

Il convient de distinguer ici deux grandes catégories: les objectifs explicitement formulés dans les introductions, conseils d'utilisation ou, plus particulièrement, au début d'une leçon ou en rapport avec une activité, et ceux qui se confondent avec les contenus et qui sont, soit récapitulés dans des tables de matières ou tableaux synoptiques, soit présentés au début d'une leçon ou en tête d'un exercice donné. Ces derniers sont évidemment les plus contraignants, car ils font partie intégrante des contenus mêmes utilisés pour les atteindre, comme dans l'exemple suivant :

Leçon 83 *Unité d'enseignement 42*

Contenu et objectifs de base

Modèles et mots structuraux-	Vocabulaire		
I've already just had...	Noms	Adverbes	Verbes
Have you had... ? Let's go...	mess suitcase	already just tomorrow	leave pack

(Alexander 1967, 170)

Déjà le titre « Contenu et objectifs de base » associe les deux notions jusqu'à les confondre puisque la formulation des objectifs de la leçon 83 revient à en énumérer les nouveaux contenus en termes de structures et de lexique. On n'y trouve donc que des informations de type a) sans aucune indication sur les capacités ou les contextes d'utilisation par rapport auxquels la langue sera apprise et pratiquée. Quant à la formulation, elle est limitée à des objets sans qu'on sache s'ils se réfèrent à des actions d'enseignement (mais c'est sans doute sous-entendu), d'apprentissage ou à des capacités. De façon analogue, objectifs et contenus sont mélangés dans les tables des matières ou tableaux synoptiques qui ne fournissent que des informations de types a) et/ou c) sur des objets (voir p. 79).

On relèvera dans la table des matières les dénominations « Objectifs communicatifs » et « Objectifs structuraux » qui montrent une nouvelle fois comment le mot peut être utilisé de façons diverses et recevoir des contenus aux formulations multiples. La table des matières nous donne des informations à prédominance de type c). On peut en déduire que le matériel vise à enseigner une langue pour communiquer dans les situations de la vie quotidienne, de même que le suivant, dont le tableau synoptique donne néanmoins plus d'informations de type a) (voir p. 79) :

Une méthode comme *De vive voix* (Moget 1972) cherche aussi à enseigner en priorité « la langue orale usuelle ». Pourtant si l'on regarde le tableau récapitulatif des contenus des différentes leçons, on est frappé par le poids que prend la grammaire dans cet enseignement même si elle est présentée et pratiquée en classe de façon implicite et « en situation ».

Table des matières (Haberzettl *et al.* 1978, 3 notre trad.).

Section	Domaines thématiques	Situations	Objectifs communicatifs	Objectifs structuraux	Page
1	Prendre contact	• Salutations dans le cours/ dans la rue	• se présenter • demander à une personne comment elle s'appelle, quelle est sa nationalité et sa profession • demander les mêmes informations sur une tierce personne • se saluer/prendre congé	• l'interrogation avec intonation • l'interrogation partielle *qui* • le présent d'*être* • *moi, toi, vous*	8

1.1. Objectifs d'apprentissage et contenus d'apprentissage (Rolinger *et al.* 1976, L1,2 notre trad.).

Cadre de la situation	Aptitudes communicatives	Structures	Lexique	Phonétique/ Intonation
A. Présentation d'une famille et des amis des enfants.	1. Se renseigner sur une personne/chose 1.1. Signaler l'existence d'une personne ou d'une chose 1.2. Identifier quelqu'un par son nom propre.	*Voilà... Voilà... et... Montre...* *Qui est-ce ? C'est...*	*voilà, une famille, la famille Leroc, Monique, Daniel, M. et Mme Leroc, et là, qui est-ce ? C'est, Pascal Neveu, Brigitte Carel.* Conv. : *montre...*	[i], [ɛ], [a], [k], [v] Intonation finale, relation vocalique, énoncé à une ou deux accentuations, interrogation avec intonation tombante.

Thème des leçons	Contenu grammatical	
X$_2$. A l'hôtel. — visite des chambres ; — formalités.	• Les pronoms démonstratifs : *celles, celle-ci, celle-là,* etc. • Le comparatif d'égalité : *aussi* (adjectif) *que ...* de supériorité : *plus* (adjectif, adverbe) *que ...* *plus de* (nom) *que ...* d'infériorité : *moins* (adjectif) *que ...* *moins de* (nom) *que ..* • Le superlatif : *le plus ... de, le moins ... de — Très.*	• *« Un autre », « une autre », « d'autres », « l'autre ».* • « Avec ... », « sans ... ». • *« Par »* (dans « soixante francs *par* jour »).

(Moget 1972, 21)

Les tables des matières sont souvent plus révélatrices sur les objectifs qu'on peut atteindre avec un matériel que les formulations explicites figurant dans les introductions ou dans les leçons. Se pose à nouveau le problème de l'adéquation entre contenus d'enseignement/apprentissage et objectifs déclarés. Ce n'est pas parce qu'on énumère des situations, des « objectifs communicatifs » ou « aptitudes communicatives » sous forme d'actes de parole, comme dans les deux exemples ci-dessus, que l'enseignement sera automatiquement plus « communicatif ». Inversement, la récapitulation d'éléments grammaticaux peut aussi servir à apprendre à communiquer. Ce ne sont encore et toujours que des mots qui doivent être traduits en actions pédagogiques. On peut néanmoins supposer que le décalage avec les résultats est moins grand lorsque les objectifs prennent la forme des contenus que lorsqu'ils sont formulés explicitement. On ne peut s'empêcher de se poser certaines questions à la lecture de la déclaration suivante dans l'avant-propos d'une méthode : « L'étude de l'allemand doit permettre aux élèves d'acquérir avant tout une connaissance pratique de la langue courante » (Uhlig *et al.* 1961, 5), alors que dans la table des matières on trouve pour la leçon 4, par exemple, les contenus suivants :

1. a) Les genres
   b) L'article défini et l'adjectif démonstratif
   c) L'article indéfini
2. a) Le pronom personnel de la 3e personne
   b) L'adjectif attribut
3. Le présent du verbe sein (*ibid.* 142).

Bien que nous soyons conscient du danger à juger hâtivement un manuel en en parcourant l'introduction et la table des matières, c'est souvent le premier contact et les informations qu'il nous fournit qui se révèlent déterminants, même si l'on sait qu'un matériel ne peut être vraiment évalué qu'après son utilisation dans des conditions données.

Les objectifs formulés soit dans les préfaces ou livres du maître, soit dans les leçons prennent en général le point de vue de l'enseignement pour expliquer ce qu'un matériel ou une unité pédagogique cherche à atteindre. On retrouve ici toutes les possibilités de formulations directes ou indirectes. Les « principes méthodologiques » de *Bonjour Line* (CREDIF 1971, 9-10) présentent les objectifs indirectement en ayant recours à la notion d'effort :

> 1. Le premier effort que nous demandons à l'enfant est donc de se placer par l'imagination dans la situation qui est celle des héros de nos histoires.
> 2. Le deuxième effort que nous demandons à l'élève est de bien entendre.
> 3. Un autre effort, le plus considérable que nous demandons à l'élève, est de manipuler ces formes linguistiques, ces constructions, ces mots qu'il vient de rencontrer.

Il est intéressant de noter que les trois types d'informations sont donnés par cette façon inhabituelle de formuler des objectifs : c) « la situation qui est celle... », b) « bien entendre », a) « manipuler ces formes linguistiques ».

Dans l'introduction générale à *Mainline* (Alexander 1974) figurent neuf « specific aims » dont certains concernent l'apprenant et d'autres l'enseignant, par exemple :

> 3. Entraîner les étudiants aux quatre aptitudes : comprendre, parler, lire et écrire — dans cet ordre. La communication en termes de ces quatre aptitudes a particulièrement été mise en évidence.
> 5. Permettre aux étudiants d'associer ce qu'ils apprennent à des situations et problèmes de la vie réelle et de transférer les aptitudes qu'ils acquièrent.
> 8. Fournir à l'enseignant du matériel qui lui permette de conduire chaque leçon avec le minimum de préparation (*ibid.* notre trad.).

Notons l'utilisation classique très courante de verbes à l'infinitif suivis d'objets et d'explications comme dans l'exemple suivant :

> Son but est triple :
> 1. Entraîner à comprendre et à rédiger la correspondance commerciale (lettres et télex) se rapportant à tout ce qui prépare, accompagne et suit l'acte de vente.
> 2. Entraîner à communiquer oralement dans les situations quotidiennes de la vie d'un ou d'une secrétaire.
> 3. Familiariser les secrétaires avec les éléments de civilisation française contemporaine qui leur seront utiles dans leur travail quotidien.
>
> (Dany *et al.* 1977, avertissement).

Certains matériels indiquent le ou les objectifs en tête de chaque leçon ou même de chaque activité. Une méthode qui porte le titre de *English by Objectives* (Ferguson et O'Reilly 1974) se doit de proposer pour chaque unité une formulation aussi explicite que possible :

> Objectif : permettre à chaque paire d'étudiants de la classe de converser sans aide, en posant des questions et en y répondant et en donnant spontanément des informations sur leur vie quotidienne au travail.

> Les dialogues devraient être basés sur la réalité et ne devraient pas être une adaptation de l'un des exercices.
> Les dialogues devraient être parlés à un rythme normal avec seulement des pauses naturelles (*ibid.* 11, notre trad.).

On reconnaît ici la volonté propre aux formulations opérationnelles de donner le plus d'indications précises sur les conditions de réalisation de l'aptitude à acquérir.

Si l'une des fonctions essentielles d'un objectif est de donner des renseignements sur un programme, un matériel, une leçon ou une activité particulière, celui qui figure en tête de chaque exercice de l'ouvrage de Grellet *Development Reading Skills* (1981) nous paraît particulièrement intéressant parce qu'aux informations classiques il ajoute, sous la rubrique « pourquoi », la justification de son choix :

> 1.3. Enchaîner des phrases et des idées
> Exercice 1
> Objectif spécifique : Préparer les étudiants à reconnaître les relations à l'intérieur des phrases ou entre des phrases.
> Aptitudes concernées : Comprendre des relations entre des parties d'un texte.
> Pourquoi ? Bien que cet exercice traite principalement les relations sémantiques d'un texte, il peut être utile de préparer les étudiants à chercher quelques-unes des relations qui peuvent exister entre différentes parties d'un texte (*ibid.* 44 notre trad.).

Ces justifications qui donnent tout son sens à un objectif et, éventuellement, aux contenus et moyens proposés pour l'atteindre nous paraissent particulièrement précieuses et devraient faire partie intégrante, comme dans l'exemple cité, de la formulation.

Enfin, l'expression d'un objectif devrait être motivante dans le sens qu'elle devrait, d'emblée, suggérer des moyens et donner envie de le réaliser. L'exemple suivant nous semble à ce titre parfait :

> L'objectif de cette première unité est de répondre à un besoin de communication minimale entre les membres d'un groupe qui se constitue, en donnant aux étudiants les moyens linguistiques de se présenter les uns aux autres, et de favoriser, dès le départ, la mise en place de réseaux de communication (Montredon *et al.* 1976, 13).

Cette formulation, très riche, contient les éléments suivants :

1) Introduction *(L'objectif...)*
2) b) Action d'enseignement *(répondre)*
4) c) Objet de cette action *(besoin de communication)*
5) c) Explicitation de cet objet *(minimale...)*
3) b) Explicitation de l'action d'enseignement *(en donnant...)*
4) a) Objet de l'action d'enseignement *(moyens linguistiques)*
5) a) c) Explicitation de cet objet *(se présenter...)*
2) b) Nouvelle action d'enseignement *(favoriser)*
3) b) Explicitation de cette action *(dès le départ)*
4) c) Objet de cette action *(la mise en place...)*.

On voit que les trois types d'information sont donnés, mais ce qui est original, c'est que l'action d'enseigner la langue (« donner les moyens linguistiques ») n'est qu'une explicitation de l'action essentielle de « répondre au besoin de communication ». Si elle est riche en informations, cette formulation est aussi et surtout très évocatrice du début d'un enseignement/apprentissage, car elle décrit la situation authentique d'un groupe qui va commencer à communiquer pour se constituer.

Les citations faites nous conduisent à retenir les points suivants :

— La formulation des objectifs peut être très diverse. La plus courante consiste à mentionner, au moyen d'un verbe, une ou plusieurs actions d'enseignement et/ou d'apprentissage ou une ou plusieurs capacités complétées par des objets et éventuellement des explicitations de ces actions et objets.

— La formulation des objectifs sert à informer, elle peut aussi prescrire.

— Les informations peuvent se référer aux domaines de la linguistique, de la psychologie, de la sociologie.

— L'expression peut être directe, c'est-à-dire que l'on sait explicitement qu'il s'agit d'un objectif, ou indirecte, dans ce cas c'est le lecteur qui déduit d'un énoncé un objectif.

— La définition des contenus d'enseignement/apprentissage et celle des objectifs peuvent être confondues dans une même formulation.

2.5. Jalons pour un bon usage des objectifs

La détermination des objectifs mobilise les principaux paramètres en jeu lorsqu'on enseigne et apprend une langue étrangère. Nous n'avons pas cherché à traiter sa problématique dans sa totalité mais simplement, par l'intermédiaire de textes de types différents, à poser quelques jalons qui nous aideront à esquisser, dans le dernier chapitre, des cadres de références et des pratiques pour un bon usage pédagogique des objectifs, jalons que nous résumerons ainsi :

— Un objectif représente quelque chose qui se passe dans le futur. On n'est jamais certain de l'atteindre et il est illusoire de penser que la définition des objectifs implique la pédagogie capable de les réaliser.

— Il convient de distinguer les objectifs des résultats, qui sont les produits des actions mises en œuvre pour atteindre les objectifs. Il peut y avoir des décalages entre les uns et les autres qu'on peut évaluer par des procédures de comparaison.

— Les objectifs définis à un moment donné peuvent être modifiés par l'enseignement/apprentissage et par l'expérience de l'utilisation de la langue étrangère, de sorte qu'il est important de prévoir les moyens d'intégrer ces modifications dans la réalisation d'un programme.

— Les institutions, les auteurs de matériel, les enseignants ont la possibilité de fixer leurs objectifs dans des textes grâce auxquels ils peuvent les imposer. Les apprenants n'ont le plus souvent qu'une vague représentation, non formulée, de leurs objectifs. Il importe de mettre en place, d'une part, des pratiques les aidant à exprimer avec précision leurs objectifs, d'autre part, des procédures de négociation permettant à tous les partenaires de trouver des compromis.

— Des modèles de construction d'objectifs analogues à ceux développés par et pour les spécialistes pourraient être élaborés à l'usage des apprenants pour leur apprendre à exprimer leurs objectifs.

— De même, des instruments de repérage pourraient aider les partenaires à estimer les interactions entre les objectifs et d'autres composantes du système : contenus, moyens, actions, résultats.

— Enfin, si la détermination et la formulation des objectifs servent aux spécialistes à

- informer
- prescrire
- évaluer
- programmer
- justifier
- motiver

il importe qu'elles soient entreprises à partir de données qui traduisent les caractéristiques de tous les partenaires impliqués dans un projet d'enseignement/apprentissage. Ce sera la tâche de l'identification des besoins de recueillir et d'exploiter ces données.

3. Les besoins langagiers

3.1. L'élaboration des programmes d'enseignement/apprentissage

Bien que la notion d'objectifs d'apprentissage puisse recevoir de multiples acceptions à des degrés différents de généralité ou de spécificité, bien que l'expression des objectifs puisse prendre toutes sortes de formes — de l'énumération de contenus linguistiques à la formulation explicite en termes de capacités mesurables — elle fait toujours référence à ce que l'on veut atteindre par des actions d'enseignement et d'apprentissage. L'une des fonctions essentielles de toute détermination d'objectifs est d'informer et de motiver ; il s'agit dès lors de choisir les types d'informations qui peuvent être pertinents. Ce choix, qui exclut tous ceux qui auraient aussi pu entrer en ligne de compte, nous paraît devoir être légitimé. C'est justement cet élément de légitimation qui manque à la plupart des formulations citées dans le chapitre précédent. Certes, dans les textes officiels, on trouve très souvent des commentaires qui vont dans ce sens. Mais il nous semble qu'ils devraient être intégrés aux formulations mêmes, comme dans l'exemple de Grellet (1981, 134-135). Le « quoi » atteindre devrait être nécessairement complété par le « pourquoi » l'atteindre. Et la formule « être capable de... » devrait être suivie d'un « parce que... ». Cette nécessité de justification a un triple avantage : premièrement, elle oblige les personnes qui construisent les objectifs à chercher les données qui doivent légitimer leur choix ; deuxièmement, elle aide toutes les personnes concernées à mieux comprendre le sens des actions d'enseignement/apprentissage qu'elles entreprennent ; troisièmement, elle facilite la négociation.

Si le rôle de la détermination des objectifs est de donner à tous les partenaires d'un projet d'enseignement/apprentissage des informations sur son contenu et ses caractéristiques, celui de l'identification des besoins langagiers est de recueillir des données auprès de ces mêmes partenaires afin que le projet soit élaboré à leur mesure. Pour être à même d'informer, il faut d'abord chercher les informations quelque part, auprès de quelqu'un, à un moment donné. C'est là une des distinctions fondamentales entre l'expression des objectifs d'apprentissage et l'identification des besoins langagiers : celle-ci rassemble et traite des informations, celle-là les transmet. Les deux opérations pourraient être comparées avec ce qui se passe dans le journalisme. Pour rédiger et présenter son bulletin à la télévision ou à la radio, le journaliste dispose de nombreuses informations fournies par les télex, les correspondants, les reporters sur le terrain et qui se présentent souvent sous forme de données brutes, à la limite incompréhensibles. Il va choisir celles qui lui paraissent les plus importantes et le mieux correspondre à l'ensemble des intérêts, à un moment donné, des téléspectateurs ou auditeurs et il va les formuler de façon à organiser un bulletin d'informations intéressant et aisément compréhensible. De même, les données recueillies par l'identification des besoins ne sont, le plus souvent, pas immédiatement utilisables en tant que telles et doivent subir un traitement qui leur permettra d'être traduites en objectifs, en contenus, en actions, en programmes. Cela explique pourquoi les besoins apparaissent comme quelque chose d'insaisissable. A la différence des objectifs et des contenus qui peuvent être formulés et définis, ils restent, par les pratiques d'identification, à l'état de la pré-formulation. Cela explique aussi pourquoi ils peuvent être confondus avec les objectifs et contenus. La distinction entre recueillir et transmettre des informations nous permet néanmoins de mieux caractériser les trois opérations indispensables à la mise en œuvre de tout programme :

— Identifier des besoins langagiers, c'est recueillir des informations auprès des individus, groupes et institutions concernés par un projet d'enseignement/apprentissage d'une langue étrangère pour mieux connaître leurs caractéristiques ainsi que les contenus et les modalités de réalisation de ce projet.

— Formuler des objectifs d'apprentissage, c'est, en fonction d'un certain nombre de données permettant de faire des choix, donner des informations pour justifier ces choix et pour expliquer ou prescrire ce que les apprenants sont supposés avoir appris à partir de ce que l'enseignant leur aura enseigné.

— Définir des contenus d'apprentissage, c'est, en fonction d'un certain nombre de données permettant de faire des choix, donner des informations sur ce que les apprenants sont supposés apprendre tout au long de l'enseignement pour parvenir à des savoirs, savoir-faire et comportements déterminés.

Chacune de ces trois opérations possède ses caractéristiques, mais elles sont complémentaires et reliées entre elles à un tel point qu'elles peuvent facilement être confondues, comme nous l'avons déjà signalé :

— On ne peut guère donner des informations sur ce que l'apprenant est supposé avoir appris sans se référer à ce qu'il doit apprendre pour y arriver. La formulation des objectifs comporte donc nécessairement une part de la définition des contenus. Plus la première est détaillée plus elle se rapproche de la seconde.

— Les informations recueillies auprès des partenaires d'un projet d'enseignement/apprentissage porteront sur ce qu'ils veulent ou doivent apprendre ou enseigner, donc sur des contenus. Selon le mode de recueil et le type d'informations, l'identification des besoins pourra se confondre avec la définition des contenus.

— D'autres informations auront trait à ce que les partenaires cherchent à atteindre par leur enseignement/apprentissage d'une langue étrangère, de sorte que l'identification des besoins langagiers peut devenir une première formulation des objectifs d'apprentissage.

On le voit, ces opérations sont complémentaires et l'on pourrait estimer que les trois sont également indispensables à la réalisation de tout projet d'enseignement/apprentissage.

Il n'y en a pourtant qu'une de vraiment essentielle. En effet, on peut très bien élaborer un programme, enseigner et apprendre une langue étrangère sans formuler des objectifs ni identifier des besoins ; en revanche, il est inconcevable de le faire sans contenus. Il est donc évident que la formulation des objectifs et l'identification des besoins ne peuvent pas être des opérations suffisantes, qu'on réalise pour elles-mêmes, mais qu'elles n'ont de sens que si elles sont mises au service de la définition des contenus et de l'ensemble de la mise en œuvre des systèmes d'enseignement/apprentissage. Si la première et la dernière sont reconnues comme nécessaires, la seconde est encore discutée, car la notion de besoin langagier est complexe et prête à bien des malentendus.

3.2. La notion de besoin

Nous n'avons pas la prétention de faire ici « une construction épistémologique véritable du concept du besoin » (Porcher 1977b, 6), mais simplement, en complément à ce que nous avons déjà dit à ce propos, d'essayer de lever quelques-uns de ces malentendus afin de faciliter la compréhension des pratiques d'identification que nous analyserons plus loin.

La plupart des divergences d'interprétation proviennent du fait que dès qu'on parle de besoins et de leur identification, on pense qu'ils permettent à l'individu d'exprimer ce qu'il a de plus personnel et, par leur satisfaction, de s'épanouir pleinement. On oublie que les besoins mettent l'individu en interaction avec son environnement, lequel lui impose les modes de les percevoir et de les satisfaire. Il faut abandonner une fois pour toutes l'idée qu'à travers ses besoins la personne manifeste son moi librement, alors qu'ils sont les témoins et les objets de « la richesse des relations fonctionnelles que l'organisme humain est capable d'entretenir avec un monde perçu et conçu et avec lui-même » (Nuttin 1980, 269). Dans cette perspective, on se rend compte que la notion englobe l'essentiel de ce qui fait la vie même de l'être humain. Il n'est donc pas étonnant que toute tentative de définition soit nécessairement insuffisante et discutable, car elle dépend des conditions historiques et idéologiques qui l'ont provoquée. Elle est abondamment traitée par toutes les disciplines qui s'occupent des problèmes de l'homme, de la physiologie à la psychanalyse. On comprendra que nous ne puissions présenter toutes les théories et que nous devions nous contenter de retenir quelques traits pour mieux cerner ce que l'on peut entendre par besoins langagiers.

Pour caractériser le besoin, « ce terme qui ne fournit qu'une étiquette verbale alors qu'en réalité, il faut bien le reconnaître, il n'explique rien » (Stones 1973, 39), on a recours à toute sorte de mots : état, tension, pulsion, manifestation, disposition, tendance, force, manque, relation requise, projet, déséquilibre... Leur point commun est qu'ils s'inscrivent tous dans le cadre d'un « processus de formation de but » (Nuttin 1975, 24). C'est donc « quelque chose » qui incite l'être humain à se mettre en interaction avec son environnement pour trouver les moyens d'atteindre un objet-but. En règle générale, le mot besoin est complété par un adjectif (primaire, sexuel, social, éducatif...) ou un substantif (d'amour, d'un crayon, d'accomplissement, de nourriture...) ou un infinitif (de dormir, d'aimer, de manger, de réussir...). Tout ce qui a trait à la vie physique, psychique et sociale de l'être humain peut, selon le moment et le lieu, devenir objet-but d'un besoin : aussi bien un parapluie pour se protéger de la pluie, l'oxygène pour vivre, que Dieu pour donner un sens à l'incompréhensible.

De nombreuses taxonomies de catégories de besoins ont été établies pour mieux décrire cette complexité. Par exemple : « les besoins *primaires* sont ceux qui sont indispensables à la vie, tels la nourriture, l'habillement... Relève des besoins *secondaires* ce qui est nécessaire, mais non indispensable à la survie : lecture, loisirs... Et enfin les *besoins tertiaires* comprennent le superflu : gadgets, futilités... » (Brémond et Geledan 1981, 31). On fait également la distinction entre les besoins *physiologiques, psychologiques* et *sociaux*. Cooper établit la différence entre les « besoins d'*avoir* (de posséder) : besoins dépendant et de la nature et de la formation de notre société, besoins quantitatifs » (1978, 47), et « les besoins d'*agir — pour — être différent ;* c'est la négation comme dépassement vers une autre façon de vivre. Le niveau de ces besoins d'action est qualitatif. Leur base est matérielle, leur motivation (comme force motrice dans le monde) une mobilisation de la conscience de la personne individuelle dans sa relation avec toute la société » (*ibid.* 48-49). Une des taxonomies les plus utilisées est celle de Maslow (1970) qui développe sa théorie de la personnalité à partir d'une hiérarchie de cinq besoins de base : *les besoins physiologiques, les besoins de sécurité, les besoins d'appartenance et d'affection, les besoins d'estime, les besoins de réalisation de soi.* Alderfer (1969) propose une théorie se fondant sur trois types de besoins : *les besoins d'existence, les besoins de relation, les besoins de croissance.*

L'intérêt de toutes ces classifications est relatif, car elles ne sont que des « étiquettes verbales » qui ne rendent pas compte du fait fondamental que chaque besoin, de quelque nature qu'il soit, n'a de sens et de valeur que par rapport aux conditions spatio-temporelles dans lesquelles des individus le ressentent et cherchent à le satisfaire pour atteindre un but. « Les besoins fondamentaux que j'ai appelés les invariants de la nature humaine peuvent être ainsi satisfaits de tellement de façons différentes, que l'on peut avoir de la difficulté à les discerner dans les manifestations quotidiennes de la vie humaine » (Dubos 1982, 60). « Il n'y a donc de besoin que par rapport à un but : comme contenu, "besoin de x" n'a, isolément, quel que soit x, aucun sens : le besoin d'être à tel endroit, à telle heure, le besoin d'avoir un marteau, le besoin de maigrir, d'être bronzé, le besoin de manger, marcher, travailler, dormir ou plaire ne font sens qu'en tant que leur satisfaction conditionne "une autre satisfaction" (Martins-Baltar 1980, 36). L'objet du besoin est indissociable du but qu'un individu veut atteindre dans un environnement donné. D'où le terme d'objet-but. Ce qui est intéressant, ce n'est pas tellement de reconnaître que tous les êtres humains ont besoin de boire que de savoir pour quoi faire, être ou avoir tel individu boit à tel endroit et à tel moment : pour survivre, pour oublier, pour séduire... Mais tout but peut être l'objet d'un autre besoin qui cherche à atteindre un autre but. Ainsi, celui qui a pour objet de boire peut se traduire par l'action d'inviter une personne dans un bar dans le but de la séduire.

La notion en appelle d'autres qui lui sont constamment associées ou qui sont confondues avec elle. Leur point commun est qu'elles sont toutes aussi « quelque chose » qui incite l'être humain à atteindre un objet-but dans un environnement donné. Si l'on essaye, empiriquement et à l'aide de quelques définitions, de trouver les traits caractéristiques des notions les plus fréquemment apparentées à celle de besoin en pédagogie, on se rend compte de la difficulté à leur conférer un statut qui leur soit propre. Par exemple :

— **Attente :** « état psychique de celui dont l'activité mentale est comme en suspens jusqu'à ce que se produise un événement prévu » (Foulquié 1971, 40).

— **Demande :** « désigne l'émergence à la conscience de l'éduqué d'un besoin d'apprentissage, d'un besoin d'éducation » (Mialaret 1979, 150).

— **Désir :** « le désir s'ébauche dans la marge où la demande se déchire du besoin » (Lacan 1966, 814). « Tendance vers un objet que l'on se représente plus ou moins nettement, mais sans le recours effectif, caractéristique du vouloir, aux moyens de l'obtenir » (Foulquié 1971, 120). Pour de Radowski, c'est le désir qui fait la grandeur de l'être humain et qui est source de progrès car « la fonction du besoin n'est pas de procurer au sujet un "plus", un "mieux-être", mais de prévenir chez lui l'irruption d'un "moins", d'un "pire-être", de parer à une déficience dont il aurait à pâtir » (1980, 177), alors que « le désir, lui, n'a pas à parer à un manque d'être, il produit un "plus", nous pourvoit en « surplus » existentiel, en nous permettant de jouir d'un mieux-être » (*ibid.* 178).

— **Intérêt :** « lorsque j'évoque le thème des intérêts, je l'associe immédiatement à ce qui m'attire et retient mon attention plutôt qu'à mes aversions et évitements » (Dupont *et al.* 1979, 15). « Ce qui répond à une tendance, à un besoin » (Foulquié 1971, 265). « Coloré affectivement comme le désir d'où il émane, mais moins opaque et plus conscient que lui, l'intérêt se porte directement sur un objet perçu » (Mialaret 1979, 264).

— **Motivation :** « ensemble des phénomènes dont dépend la stimulation à agir pour atteindre un objectif déterminé » (De

Landsheere 1979, 180). « La motivation est au fond une question de relations préférentielles entre l'organisme (l'individu), d'une part et le monde, de l'autre. Elle est l'aspect dynamique et directionnel du comportement qui établit, avec le monde, les relations "requises" » (Nuttin 1980, 29).

Si, sur le plan théorique, il est important de différencier ces notions — encore que la plupart des auteurs relèvent la difficulté d'y parvenir nettement et que plusieurs confondent certaines d'entre elles jusqu'à en faire des synonymes — on peut se demander si, sur le plan pratique qui est le nôtre, c'est-à-dire la mise en œuvre de systèmes d'enseignement/apprentissage, cette différenciation revêt la même importance. Comme leur analyse à des fins utilitaires porte toujours sur les mêmes types de questions, on peut estimer qu'il n'est pas essentiel de les distinguer. Car s'il fallait prévoir des procédures différentes pour chacune des notions qui entrent en jeu, ce ne serait plus praticable. C'est la raison pour laquelle nous proposons de les inclure toutes dans ce que nous nommons l'identification des besoins, dans le sens que les informations qui vont être recueillies pourront porter sur des aspects qui ne relèvent pas seulement des besoins.

3.3. Le besoin de langage et les besoins langagiers

On peut s'interroger sur les raisons qui ont fait que c'est la notion de besoin qui s'est imposée et non une autre en didactique des langues étrangères. Pourquoi pas des attentes, demandes, intérêts, désirs langagiers ? Rappelons qu'elle a commencé à être régulièrement utilisée au moment où les méthodes et les matériels d'enseignement se sont voulus plus fonctionnels et mieux adaptés aux utilisations effectives des langues étrangères. Prise dans son sens courant, la notion de besoin exprimait certainement le mieux cette volonté d'utilitarisme, avec les traits qui la caractérisent, notamment :

— Le besoin est lié à l'idée de nécessité. Peu importe que celle-ci soit relative et variable selon les individus et leurs relations avec leur environnement, le besoin, quel qu'il soit, fait toujours penser à ce qui est primordial à la vie de l'être humain, comme par exemple, la nourriture, l'oxygène, la sexualité, etc.

— Du fait que les modes de ressentir et satisfaire un même besoin peuvent prendre des formes très variées, la notion est également associée à ce que chaque individu a de différent par rapport à ses semblables.

— Le besoin appelle enfin l'idée de manque que l'individu éprouve en comparant un état interprété comme insatisfaisant avec un état déjà vécu ou imaginé comme satisfaisant.

Quant à l'adjectif « langagier » qui a été accolé au mot besoin pour en désigner l'objet-but, il s'est imposé parce qu'il connote l'usage du langage ou de la langue comme moyen de communication, alors que linguistique, qui est également utilisé mais moins courant, se rapporte plutôt à la science du même nom ou au système de signes appelé langue. Ainsi, dans le contexte d'un enseignement/apprentissage qui, pour des raisons d'efficacité, tend à être diversifié et utilitaire, la notion de besoin langagier correspond bien à cette double ambition, car elle fait immédiatement référence à ce qui est *nécessaire* à un individu dans *l'usage* d'une langue étrangère pour communiquer dans les situations qui lui sont *particulières* ainsi qu'à ce qui lui *manque* à un moment donné pour cet usage et qu'il va combler par l'apprentissage. Mais cette acception est trop réductrice. En appliquant certains des traits relevés à propos de la notion générale de besoin à celle particulière de besoin langagier, on peut trouver quelques points de repère qui devraient nous aider à mieux rendre compte de sa complexité et à lever ainsi quelques malentendus.

Si l'on admet que les besoins sont constitués par les « relations requises » (Nuttin 1980, 103) entre l'individu et son environnement, le besoin langagier peut être considéré comme une manifestation de ces relations dont la particularité est qu'elles sont établies par le langage. Il est donc l'objet-but d'un invariant, selon la terminologie de Dubos (1982, 62), qui permet à l'être humain non seulement de régler certains types d'interactions avec son environnement, mais aussi de leur donner un sens. A un premier niveau, on peut parler d'un besoin de langage, au même titre que celui de nourriture ou d'abri, qui est inscrit dans le programme génétique de l'espèce humaine.

Sur le plan de l'expression linguistique, le terme de langagier est le plus souvent supprimé et sous-entendu. Le mot besoin peut être suivi d'un adjectif, tel que professionnel, individuel, grammatical. Dans ce cas, il est généralement utilisé au pluriel. Il peut être aussi accompagné, au singulier et au pluriel, ou avec la formule « avoir besoin de... », d'un substantif, par exemple, vocabulaire, langue étrangère, lecture. Relevons ici l'utilisation des prépositions « de » ou « en » qui marquent parfois une différence de sens qui ne constitue pas une règle générale. Avec « de », l'objet-but du besoin est pris dans sa totalité (« il a besoin de l'anglais pour faire son travail » ou « son besoin d'anglais, pour faire son travail, n'est pas évident »), alors qu'avec « en », il se rapporterait plutôt à des éléments d'une totalité (« ses besoins en anglais sont d'ordre essentiellement grammatical »). Enfin, le substantif besoin, au singulier et au pluriel, ainsi que l'expression « avoir besoin de... » peuvent être suivis d'un infinitif avec ou sans complément, par exemple, lire, savoir l'allemand, apprendre le verbe « faire » à tous les temps et modes. Ainsi, à un deuxième niveau, tout ce qui a trait aux interactions entre l'individu et son environnement par le langage ou une langue peut être objet-but d'un besoin langagier : aussi bien un mot pour donner une information à quelqu'un que réussir un examen pour pouvoir exercer une profession.

On le voit, le champ couvert est très vaste. De nombreuses classifications ont été faites pour essayer de le circonscrire, notamment en fonction de l'enseignement/apprentissage des langues étrangères où l'on oppose couramment les besoins *individuels* aux besoins *sociaux* ou *institutionnels*. Cette opposition renvoie, d'une part, à ce qui manque à un individu ou groupe d'individus à un moment donné par rapport aux usages qu'il est censé faire d'une langue étrangère dans sa vie socio-professionnelle et socio-culturelle ou, de façon plus diffuse, aux représentations qu'il peut se faire, plus ou moins explicitement, de ces usages et de leur enseignement/apprentissage. D'autre part, elle concerne les contraintes de l'emploi d'une langue comme pratique sociale et leurs variations selon les différentes situations de communication. Une autre distinction est faite entre besoins *objectifs* et *subjectifs, prévisibles* et *imprévisibles*. Elle porte sur ce qui peut être décrit à l'avance des usages d'une langue, parce que stable et généralisable à tel ou tel type de situation, et ce qui ne le peut pas, parce que dépendant des circonstances particulières qui rendent le déroulement de toute communication incertain. On oppose également les besoins *concrets*, qui correspondent aux usages observés par des moyens objectifs, aux besoins *figurés,* qui se rapportent aux représentations que se font les individus de ces usages. On trouve souvent la distinction entre besoins *exprimés*, c'est-à-dire ceux dont l'individu est conscient et qu'il parvient à expliciter, et besoins *inexprimés,* dont il ne se rend pas compte ou qu'il ne sait pas formuler, alors que l'analyse des situations de communication dans lesquelles il va se trouver les lui attribue. Il convient aussi de ne pas confondre les besoins définis par rapport à l'utilisation de telle ou telle langue après que l'individu a décidé de l'apprendre avec ceux déterminés en fonction de la nécessité d'imposer ou du désir de choisir telle langue plutôt que telle autre. Dans un sens analogue, on parle de besoins identifiés *avant, pendant* et *après* l'enseignement/apprentissage. Enfin, comme les besoins langagiers sont constamment associés au point de se confondre, dans leur définition, avec les usages de la langue dans les situations de communication, diverses classifications sont possibles en fonction des critères propres à la description langagière : par rapport aux quatre aptitudes — compréhension et production orales et écrites —, aux composantes situationnelles — lieu, moment, interlocuteurs —, aux catégories linguistiques - phonétique, morphologie, syntaxe, pragmatique —, etc. Les trois niveaux retenus par Porcher (1978), à la suite de Martins-Baltar, et dont l'articulation « constitue véritablement le concept de besoins langagiers », résument bien les domaines d'analyse :

— ce pour quoi l'apprenant veut ou doit apprendre telle langue ;
— ce que l'on a besoin de savoir faire, sur le plan langagier, pour être en mesure de réaliser ce qui précède ;
— ce dont on a besoin, sur le plan linguistique, pour construire les compétences langagières mentionnées ci-dessus (*ibid.* 7-8).

Toutes ces distinctions et classifications ont leur intérêt, mais elles ont le défaut d'aboutir, en général, à considérer séparément l'individu, qui ressentirait des besoins nés en et de lui-même et qui seraient l'expression de son moi profond, et son environnement, qui en sécréterait d'autres qu'il lui imposerait. Le titre de la communication de Debyser (1978) au Congrès de la FIPLV de Lucerne « Peut-on accorder les besoins de l'étudiant et ceux de son futur employeur ? » est révélateur de cette façon de voir. Or, le propre du besoin langagier est d'inciter l'individu à concevoir et régler, par le langage, ses relations avec son environnement. Il ne peut être ressenti et satisfait qu'à travers elles. Certes, et c'est une autre de ses propriétés, la satisfaction est soumise à nombre de contradictions. « Car après tout pourquoi parle-t-on ? Les philosophes l'ont assez répété : parce que les hommes vivent ensemble et échouent à communiquer. Lacan l'a montré à sa façon : parce que les hommes ont un corps, et que les corps ne peuvent se conjoindre. S'il y a de la parole c'est qu'il y a de la socialité et que la socialité, c'est la guerre. S'il y a des langues et de la langue, c'est qu'il y a du manque et que le manque c'est le malheur » (Lévy 1977, 53). La problématique des besoins langagiers n'est pas tant de distinguer ceux qui pourraient être, d'une part, individuels, et, d'autre part, sociaux, que de faire comprendre à un apprenant ou groupe d'apprenants les conditions dans lesquelles il peut, lui, avec toutes ses particularités, négocier, au moyen de l'apprentissage et de l'utilisation de telle langue étrangère, certains types de relations avec des environnements donnés et de l'aider à découvrir ce qu'il peut faire pour qu'il y ait le moins de « manque » (et de « malheur ») possible.

Si tous les êtres humains ont le besoin d'apprendre et d'utiliser une langue, dite maternelle, pour s'intégrer au milieu où ils sont nés et où ils vont être élevés, celui d'en connaître une ou plusieurs autres ne peut être ressenti que par certains d'entre eux en fonction de facteurs personnels, géographiques, économiques, politiques, etc. Selon la distinction classique, l'un serait primaire, l'autre secondaire. On peut estimer que plus les possibilités d'interactions entre les individus et leur environnement sont riches, plus ils ont de besoins langagiers. Il en va certainement de même sur le plan pédagogique et didactique. Et l'une des tâches de tout programme d'enseignement/apprentissage est sans doute d'aménager un environnement de telle façon que les relations qu'entretient l'apprenant avec l'enseignant, avec d'autres apprenants, avec le matériel et les moyens pédagogiques soient aussi diversifiées que possible afin de créer, à court et à long terme, des besoins langagiers multiples.

Nous avons vu qu'il n'y avait de besoin que par rapport à un but dont la réalisation se traduit par la satisfaction. L'objet du besoin langagier, une langue maternelle à un niveau primaire, une ou plusieurs langues étrangères à un niveau secondaire, est indissociable du but qu'il permet d'atteindre : la régulation de certains types d'interactions entre individus et leur environnement. Nous avons également relevé que la satisfaction d'un besoin implique, le plus souvent, celle d'un autre besoin, tout but pouvant devenir objet d'un autre but. Ainsi, le besoin d'apprendre l'anglais est satisfait par le fait de connaître cette langue, mais cette connaissance permet de répondre au besoin, par exemple, de lire Shakespeare dans le texte ou de gagner plus d'argent. Sur un autre plan, le besoin de savoir un mot a comme premier objet-but ce savoir même qui, lui, permet de donner une information ou de réussir un test de vocabulaire. Ce n'est pas en dressant des listes de besoins langagiers tout faits qu'on parviendra à mieux rendre compte de la notion et à mieux l'exploiter, mais en essayant, pour chaque couple individu-environnement, de repérer ces enchaînements d'objets-buts ainsi que les interactions qu'ils autorisent et mettent en jeu.

Quant aux notions apparentées, elles peuvent toutes être appliquées au domaine de l'enseignement/apprentissage des langues étrangères. Il serait certes intéressant de les différencier et de procéder, séparément, à l'analyse des attentes, demandes, désirs, intérêts ou motivations langagiers. Pour les raisons évoquées plus haut, nous avons retenu celle de besoin en y incluant tous les recoupements qu'elle peut avoir avec les autres notions.

Par rapport à tout ce qui précède et sans vouloir donner une définition *stricto sensu,* nous pourrions caractériser la notion de besoin langagier de la manière suivante :

— Ce qu'un individu ou groupe d'individus interprète comme nécessaire, à un moment et dans un lieu donnés, pour concevoir et régler, au moyen d'une langue, ses interactions avec son environnement.

Identifier des besoins langagiers consisterait, dès lors, à :

— Rassembler les données qui permettent à un individu ou groupe d'individus d'expliciter cette interprétation.

Dans le contexte de l'enseignement/apprentissage d'une langue étrangère, l'identification des besoins langagiers pourrait remplir la fonction suivante :

— Recueillir les données qui permettent aux apprenants et à l'enseignant, à un moment et dans un lieu donnés, d'interpréter ce qui leur est nécessaire pour concevoir et régler les interactions favorisant l'enseignement/apprentissage d'une langue, en relation avec les interactions que les apprenants pourraient avoir avec d'autres environnements.

3.4. Les modèles d'identification

Toute une série de questions se posent dès que l'on veut recueillir les informations nécessaires à une identification de besoins langagiers. Par exemple :

— qui décide d'identifier des besoins ?
— qui recueille les informations ?
— quelles informations ?
— sur qui ?
— comment ?
— où et quand ?
— qui exploite les informations recueillies ?

— comment ?
— pour en faire quoi ?
— sous quelle forme ?
— quel est le rapport entre le coût de l'opération et son utilité/efficacité ?
— comment évaluer l'ensemble de la procédure d'identification (Richterich 1983, 1) ?

Bien que toutes ces questions soient également importantes, c'est évidemment la troisième, celle qui porte sur le genre de données à recueillir, qui a donné lieu à la majeure partie des travaux dans ce domaine. On peut toutefois estimer qu'il est tout aussi capital de s'interroger d'abord sur qui décide d'identifier, qui recueille et exploite les informations pour en faire quoi, ou sur les moyens à disposition ou à trouver pour mener à bien une opération d'identification. Car, en définitive, ce sont eux qui vont déterminer pour une large part sa conception et son déroulement. De toute façon, ces questions sont interdépendantes et les réponses qu'on donne à l'une influencent nécessairement celles qu'on peut donner aux autres.

Comme pour la construction des objectifs d'apprentissage, des modèles ont été élaborés pour identifier des besoins langagiers. Leur fonction est semblable : fournir des systèmes hiérarchisés ou non de catégories pour choisir les types d'informations nécessaires qui vont, elles, être recueillies à l'aide de diverses techniques telles que questionnaires, entretiens, interviews, échelles d'attitude, etc. Ils ne constituent pas en eux-mêmes des moyens de rassembler des données et ne sont que des instruments de référence. Et l'on peut justement reprocher à la plupart d'entre eux de n'être que cela et de ne pas considérer, pour en définir les interdépendances possibles, l'ensemble des questions posées par la réalisation d'une identification.

3.4.1. L'identification des besoins pour une approche fonctionnelle

C'est le cas, par exemple, du « Modèle pour la définition des besoins langagiers des adultes » (Richterich 1973) que nous proposions en 1972 dans le cadre des premiers travaux pour ce qui allait devenir le « projet N° 4 langues vivantes » du Conseil de l'Europe (Conseil de l'Europe 1981). Le modèle repose sur le présupposé qu'il existe, d'une part, des « besoins objectifs » qui « correspondent aux exigences nées de l'utilisation de la langue dans la multitude des situations de la vie sociale des individus et des groupes » et qui « peuvent être, selon le cas, prévus, analysés, définis avec plus ou moins de précision », et, de l'autre, des « besoins subjectifs » qui « dépendent de l'événement, de l'imprévu, des personnes » et qui « sont absolument imprévisibles, donc indéfinissables » (*ibid.* 36). Il se présente dans sa partie principale comme un catalogue des types d'informations pour analyser les besoins objectifs, puisqu'eux seuls peuvent être repérés, ce qui revient à déterminer, selon la définition de cette notion, quels usages font d'une langue donnée, quels adultes, dans quelles situations.

La taxonomie proposée doit servir de référence à l'élaboration des moyens de définir les besoins langagiers de différentes catégories d'adultes préalablement localisées selon la démarche suivante :

a) analyse de l'utilisation orale et écrite d'une langue par la catégorie d'adultes concernés ;
b) enquête auprès des personnes utilisant déjà la même langue dans le domaine de la catégorie concernée ;
c) enquête auprès des personnes apprenant ou sur le point d'apprendre la langue dans le domaine de la catégorie concernée afin d'en connaître les motivations et les opinions sur leurs besoins (*ibid.* 50).

Ces moyens de définition qu'on peut regrouper dans deux grandes classes, « les analyses de contenus » et « les sondages et enquêtes », sont en réalité des moyens de recueillir des informations et l'on peut s'étonner de l'assimilation des uns avec les autres. Cela signifierait qu'identifier des besoins langagiers consiste à rassembler des données alors que c'est bien le traitement de ces dernières qui est le propre de l'opération. Un modèle tel que celui-ci ne donne aucune indication sur les procédures d'exploitation des informations et ne permet de ce fait qu'une description en surface des usages de la langue par certaines catégories de personnes. De plus, les moyens qu'il préconise ne peuvent être élaborés et pratiqués que par des spécialistes dans le but de définir, une fois pour toutes et préalablement à l'enseignement/apprentissage, des objectifs et des contenus. Or, les identifications ne peuvent être réduites à cette seule fonction. Elles doivent aussi et surtout être un instrument pour mieux centrer les systèmes de formation sur les apprenants en aidant ceux-ci à prendre conscience, tout au long de leur apprentissage, de ce qui leur est nécessaire pour régler leurs interactions avec leur environnement. Il importe donc de leur fournir des moyens qu'ils puissent appliquer eux-mêmes afin qu'ils ne soient pas « dépossédés de leurs besoins » (Besse 1980, 61).

L'ambition du projet du Conseil de l'Europe était d'offrir aux adultes la possibilité d'apprendre des langues étrangères non plus dans des cours généraux, mais à l'aide d'unités pédagogiques fonctionnelles correspondant à leurs possibilités d'apprentissage à différents moments de leur vie, à leurs intérêts et désirs et à l'utilisation réelle qu'ils feront de la langue choisie. La matière à acquérir étant divisée en unités autonomes, mais qui peuvent néanmoins se combiner et se compléter, de durée et de dimension limitées, avec des objectifs soigneusement définis, l'apprenant peut interrompre, reprendre son apprentissage au gré des circonstances de son existence, accumuler et faire valoir son « capital » de connaissances en tout temps. D'où le concept d'unités capitalisables.

> Le système européen d'unités capitalisables pour l'apprentissage des langues vivantes destiné aux adultes sera donc fondé sur les besoins de l'étudiant, et sur les opérations langagières que celui-ci doit être capable d'effectuer pour tenir effectivement sa place de membre de la communauté linguistique dans les situations correspondant à ces besoins (Trim 1973, 20).

On voit le rôle fondamental attribué à la définition des besoins dans un tel système. Mais celle-ci peut aussi avoir un effet pervers. La notion étant associée à ce qui est spécifique à un individu ou groupe d'individus, elle était tout indiquée pour cristalliser la volonté d'adapter les programmes de langues aux ressources et nécessités des personnes. D'où la vertu parfois un peu magique qu'on lui a conférée. On a pu croire qu'il suffisait de procéder à une analyse de besoins pour que les matériels et les cours qui s'y référeraient soient mieux personnalisés. Or, l'assimilation des besoins langagiers aux seuls usages de la langue ne pouvait aboutir qu'à des contenus d'apprentissage dictés par ces usages. Ce ne sont donc pas les besoins des apprenants qui sont analysés, mais ceux qu'on leur attribue en tant que futurs utilisateurs de la langue. Cette analyse ne peut être faite que par des spécialistes sans que l'apprenant, le principal intéressé, puisse intervenir. Ainsi, la bonne intention pédagogique d'identifier ses besoins langagiers a pour effet pervers de lui imposer technocratiquement, parce qu'il ne peut pas les connaître, des contenus d'apprentissage.

La réduction de la notion aux besoins objectifs, c'est-à-dire aux seuls usages langagiers prévisibles, est la cause principale des malentendus et des critiques justifiées qu'ont suscités ce modèle et les pratiques d'analyse qu'il a pu inspirer. L'identification devient un moyen de pouvoir supplémentaire à disposition des experts, alors qu'il devrait permettre à l'apprenant de participer aux décisions concernant son apprentissage. Mais si l'on ne retient que l'aspect personnel des besoins, comme expression du moi intime des individus, on est amené à remettre en cause l'utilité et la possibilité mêmes de leur identification. En effet, chaque personne a des besoins différents, de sorte que la prise en compte de leur multitude devient illusoire ou impossible. On commet une erreur fondamentale lorsqu'on veut opposer les besoins subjectifs et individuels aux besoins objectifs et sociaux. Les deux sont indissociables puisqu'un individu ne peut éprouver et satisfaire un besoin que par rapport à un environnement. Ce qui est individuel, c'est l'interprétation des modes de satisfaction qui porte sur des objets qui sont, eux, donnés, en l'occurrence une langue avec ses règles de fonctionnement. Il n'y a jamais d'un côté l'individu libre d'éprouver et de satisfaire ses besoins et, de l'autre, l'environnement qui lui prescrit les siens.

Il est intéressant de constater aujourd'hui que ce qui a été retenu de notre modèle dans les travaux ultérieurs du projet N° 4 du Conseil de l'Europe et dans d'autres réalisations, c'est essentiellement la partie consacrée à la description des situations langagières, alors qu'il intégrait la définition des besoins d'apprentissage à partir des situations d'apprentissage. Ceci est révélateur de l'évolution de la didactique des langues étrangères de ces dix dernières années qui s'est occupée avant tout de développer de nouvelles façons de déterminer des objectifs et des contenus à partir de données relevant principalement de la sociolinguistique, mais sans proposer de pratiques pédagogiques qui leur correspondent dans l'esprit et dans la lettre.

3.4.2. L'identification des besoins pour l'anglais fonctionnel

On trouve l'aboutissement de cette approche dans le livre de Munby (1978), parfait exemple d'une étude de linguistique appliquée dans la tradition anglo-saxonne, c'est-à-dire qui cherche, en se basant sur des travaux théoriques, dans le cas présent ceux de Chomsky, Habermas, Hymes et Halliday, à décrire quels contenus linguistiques il convient d'enseigner, sans se soucier des moyens de le faire. Le modèle doit servir à spécifier la compétence de communication des personnes apprenant l'anglais à des fins utilitaires selon la démarche suivante (*ibid.* 31) :

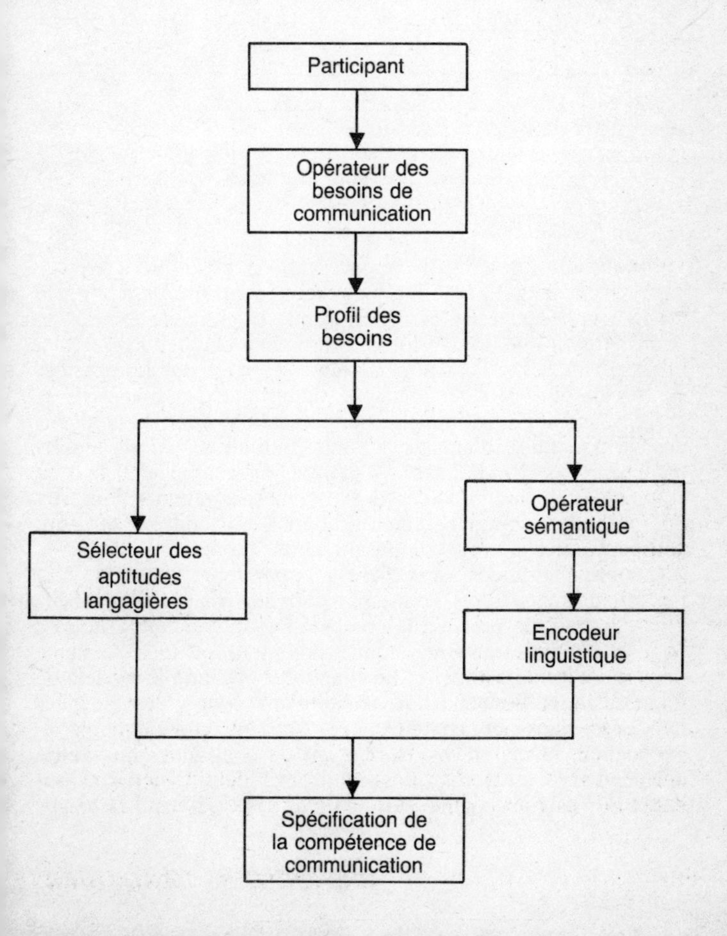

La partie la plus développée a trait à l'opérateur des besoins de communication avec les composantes et relations suivantes :

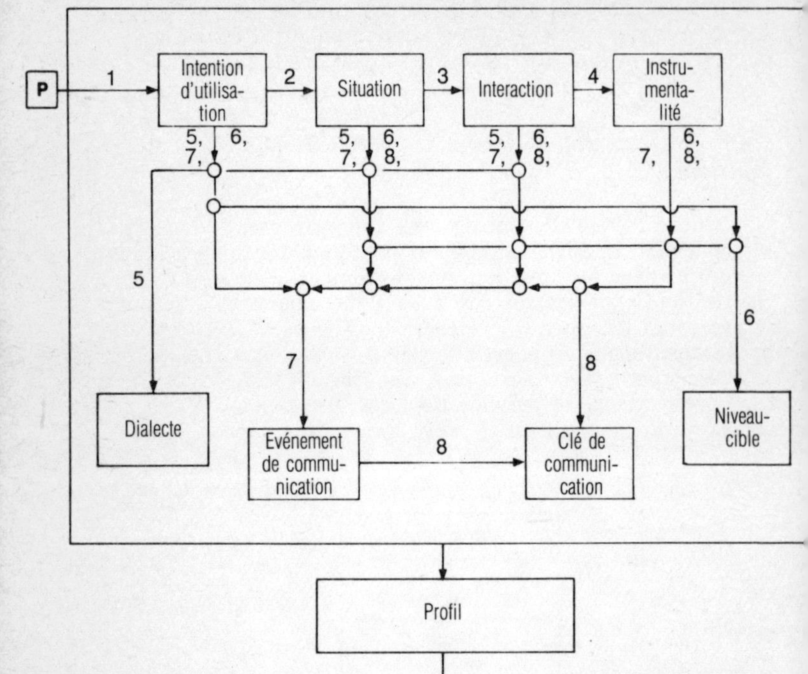

(*ibid.* 33 notre trad.).

Notons que « besoins de communication » est utilisé à la place de « besoins langagiers ». Il n'y a certainement pas de différence fondamentale entre les deux, sinon que la première expression peut marquer une orientation plus fonctionnelle que la seconde. Cette partie forme l'essentiel du modèle, parce que les données sur les besoins peuvent le mieux déterminer les usages de la langue dans des situations de communication, donc les contenus des programmes d'anglais à buts utilitaires. Ainsi Munby inventorie dans les chapitres 3 à 6, avec beaucoup de détails et de commentaires, les variables des paramètres retenus pour son opérateur de besoins de communication. Les chapitres 7 et 8 sont consacrés aux autres composantes du modèle, à savoir le sélecteur d'aptitudes langagières, l'opérateur sémantique et l'encodeur linguistique. L'ensemble doit servir à spécifier avec le plus d'exactitude possible la compétence de communication en anglais, langue étrangère, requise pour telle ou telle personne dans sa vie professionnelle. Le chapitre 9 présente le modèle de manière opérationnelle en récapitulant toutes les données détaillées dans les chapitres 3 à 8, sans commentaires ni explications, mais en les assortissant de consignes pour l'utilisateur, du type : « Donnez des détails sur l'identité du participant et sur ses langues comme suit : » (*ibid.* 154), « Quand la langue anglaise est-elle la plus exigée ? » (*ibid.* 158), ou « Choisissez parmi les canaux de communication suivants ceux qui sont appropriés » (*ibid.* 161). Il s'agit de fournir aux responsables de cours fonctionnels d'anglais des listes de données à partir desquelles ils peuvent dégager le profil des besoins de communication des apprenants dont ils ont la charge et déterminer ainsi les contenus d'enseignement/apprentissage correspondants. Il serait trop long de discuter ici la validité de ces listes. Mais il nous paraît intéressant d'en indiquer les têtes de chapitre afin de montrer avec quels détails est élaboré un tel modèle.

0.0 Participant
0.1 Identité
0.2 Langues connues

1.0. Intention d'utilisation
1.1. Classification de l'anglais pour des buts spécifiques (ESP)
1.2. Intention professionnelle
1.3. Intention éducative

2.0. Situation
2.1. Situation physique : espace
2.2. Situation physique : temps
2.3. Situation psychosociale (inventaire de 25 environnements antinomiques dans lesquels un participant peut être amené à utiliser l'anglais comme langue étrangère, par exemple, culturellement similaire-culturellement différent ; citadin-rural ; public-privé ; formel-informel, etc.)

3.0. Interaction
3.1. Position (du participant par rapport à ses intentions d'utilisation)
3.2. Rôles
3.3. Identité des rôles
3.4. Relations sociales (inventaire de 37 relations asymétriques, par exemple, supérieur-subordonné, client-serveur, vedette-admirateur, et de 24 relations symétriques, collègue-collègue, adulte-adulte, ennemi-ennemi, etc.)

4.0. Moyens
4.1. Medium (les quatre aptitudes)
4.2. Mode (par exemple, le monologue parlé pour être entendu, le dialogue écrit pour être lu, etc.)
4.3. Canal

5.0. Dialecte
5.1. Région
5.2. Classe sociale
5.3. Époque

A partir de ce paramètre, Munby indique systématiquement à quelles autres données précédentes il convient aussi de se référer pour recueillir les informations nécessaires, établissant ainsi un réseau combinatoire particulièrement riche.

6.0. Niveau d'utilisation
6.1. Dimension (par exemple, longueur des énoncés et des textes, leur complexité)

6.2. Conditions (par exemple, tolérance des erreurs, des hésitations ; ces deux variables sont évaluées par rapport à des échelles : très bas/très haut)

7.0. Événement de communication

L'événement de communication est défini à partir des catégories : intention d'utilisation, situation, interaction et moyens. Quelques exemples sont donnés.

8.0. Clé de communication

Ce terme repris de Hymes doit indiquer « le ton, la manière et l'esprit dans lesquels un acte est réalisé » (*ibid.* 102). Un index de 51 couples d'adjectifs antinomiques est proposé, avec quantité de synonymes, afin de définir la tonalité des attitudes des participants à un événement de communication, p. ex., amical-inamical.
amical : sympathique, cordial, aimable, intime, chaud
inamical : défavorable, antipathique, hostile, détestable.

Munby propose ensuite une taxonomie des aptitudes langagières qui devront être choisies en fonction du profil des besoins de communication. Elle est constituée de 54 catégories principales, hiérarchisées et complétées par 268 sous-catégories. Voici, p. ex., la première aptitude :

1. Discrimination de sons dans des mots isolés
1.1. Phonèmes, spécialement les contrastes phonémiques
1.2. Séquences de phonèmes
1.3. Variantes allophones
1.4. Formes assimilées et élidées (spécialement la réduction des voyelles et des groupes de consonnes)
1.5. Variation phonémique acceptée (*ibid.* 123).

et la dernière :

54. Retransmission de l'information
54.1 Directement (commentaire/description simultanément à une action)
54.2 Indirectement (rapporter) (*ibid.* 131).

Ces aptitudes langagières doivent être mises en relation avec des micro-fonctions qui, elles, sont en rapport avec les tonalités d'attitudes. Ces deux derniers paramètres constituent l'opérateur socio-sémantique. Munby dresse un inventaire des micro-fonctions, qui est une adaptation de celui de Wilkins (1976), avec références aux sections correspondantes de la grammaire de Leech et Svartvik (1975). Sept grandes catégories ont été retenues : échelle de certitude, échelle d'implication, jugement et évaluation, persuasion, argumentation, relations logiques et exposition, communication stéréotypée. Elles sont complétées par 35 sous-catégories. Ainsi, à partir d'un profil des besoins de communication, il convient de sélectionner les aptitudes langagières, de déterminer les micro-fonctions et de convertir l'ensemble en formes linguistiques pour spécifier la compétence de communication nécessaire à un individu pour maîtriser telles ou telles situations d'utilisation de l'anglais comme langue étrangère. Munby donne à la fin de son ouvrage deux exemples d'application de son modèle, l'un pour un maître d'hôtel espagnol qui possède bien son métier mais pas l'anglais nécessaire, l'autre pour un étudiant vénézuélien en agronomie dont le programme d'études comporte aussi l'apprentissage de l'anglais spécifique à cette discipline.

En tant qu'inventaire et instrument de référence, l'ouvrage de Munby est très complet et, même si l'on peut discuter la pertinence de certaines catégories d'informations, exemplaire. Cependant sa conception et son utilisation posent, parmi d'autres déjà évoqués, quatre problèmes qui sont au cœur de l'élaboration de tout programme d'enseignement/apprentissage des langues étrangères. Premièrement, un tel modèle impose une seule façon de choisir des contenus à partir d'une description très fine des situations d'utilisation prévisible de la langue. Or, même dans le cadre restreint de l'anglais utilitaire, on peut estimer que d'autres types de détermination sont tout aussi valables. Deuxièmement, la description des situations, qui demande un grand travail d'observation et d'analyse, aboutit — les deux exemples présentés par Munby le montrent à l'évidence — à des contenus sous forme de listes de structures linguistiques, de formules stéréotypées ou d'aptitudes langagières plus ou moins complexes. On peut se demander si le travail investi dans la description détaillée des situations d'utilisation est pédagogiquement rentable. En fixant et en limitant de la sorte les contenus, on risque d'enfermer l'apprenant dans l'usage d'une langue réduite et préfabriquée qui ne correspondra pas à celle réellement utilisée, et surtout on ne le prépare pas à faire face à l'imprévisible de la communication, qui est, à notre avis, une des composantes fondamentales de la compétence de communication. Troisièmement, un tel modèle implique une pédagogie axée essentiellement sur l'acquisition de contenus linguistiques et ne laisse que peu de place à l'exploitation, par l'apprenant, de ses propres stratégies d'apprentissage et de communication. Les savoirs et savoir-faire sont en quelque sorte prédigérés et il n'a qu'à les ingurgiter tels quels. Quatrièmement, il est méthodologiquement discutable d'isoler, comme le fait Munby, la définition des contenus des autres opérations d'élaboration d'un programme. Selon lui, les facteurs, « sociopolitiques », « logistiques », « administratifs », « psycho-pédagogiques » et « méthodologiques » n'interviennent qu'en second lieu. Le contenu est une nouvelle fois privilégié au détriment de ses interactions avec les autres composantes des systèmes.

3.4.3. L'identification des besoins pour une approche systémique

C'est dans cette perspective qu'il convient d'interpréter l'étude que nous avons publiée en 1977 (Richterich et Chancerel), toujours dans le cadre du projet N° 4 du Conseil de l'Europe, et qui tente de redéfinir le rôle de l'identification des besoins langagiers dans une approche systémique de l'enseignement/apprentissage des langues étrangères. L'emploi du terme « identification » à la place de ceux couramment utilisés de « définition » ou d'« analyse » est révélateur du changement d'acception de la notion de besoin dans l'évolution des travaux du Conseil de l'Europe. On ne peut, en effet, définir a priori quelque chose qui tire son existence du jeu des interactions toujours changeantes entre différents éléments. Par contre, on peut essayer de repérer les éléments de ce jeu pour leur attribuer une identité et pour mieux en connaître les règles de fonctionnement. Si l'opération d'identification consiste toujours à recueillir des informations et à les exploiter, celles-ci ne portent plus exclusivement sur les usages et les usagers de la langue, mais sur les interactions entre les composantes d'un système d'enseignement/apprentissage selon le schéma reproduit ci-contre :
(ibid. 6)

On voit que l'apprenant occupe ici la place centrale. Tout part de lui et revient à lui. Mais il ne représente pas une entité indépendante. Pour apprendre une langue étrangère, il fréquente une institution de formation qui constitue son environnement immédiat d'apprentissage, lequel est sous l'influence plus ou moins directe d'une société donnée, dont font partie ce que nous nommons les institutions d'utilisation, c'est-à-dire « tout ensemble social structuré qui, dans son fonctionnement, a recours à une ou plusieurs langues étrangères » (*ibid.* 52) ;

Un apprenant dispose d'un certain nombre de ressources pour apprendre une langue étrangère. Ce terme englobe toutes les caractéristiques d'un individu susceptibles de conditionner son apprentissage : son identité, les traits de sa personnalité, le temps, l'argent qu'il investit, etc. Par rapport à celles-ci, il se fixe, avec précision ou vaguement, des objectifs qui vont être évalués et qu'il va réaliser grâce à un ensemble de moyens qui constituent son programme d'apprentissage. Pour ce faire, il a recours à une institution de formation qui elle aussi a ses ressources (locaux, horaire, personnel, financement, etc.), poursuit certains objectifs qu'elle évalue selon ses propres critères et propose, en conséquence, un ou des programmes d'enseignement. Sa fonction étant, en principe, de former les individus de telle sorte qu'ils puissent jouer pleinement leurs rôles dans la société, ses ressources, objectifs, modes d'évaluation et programmes devraient correspondre le mieux possible avec les exigences des institutions d'utilisation et de la société.

L'approche systémique esquissée dans notre étude n'est pas, comme d'aucuns l'ont prétendu, une belle illusion pédagogique

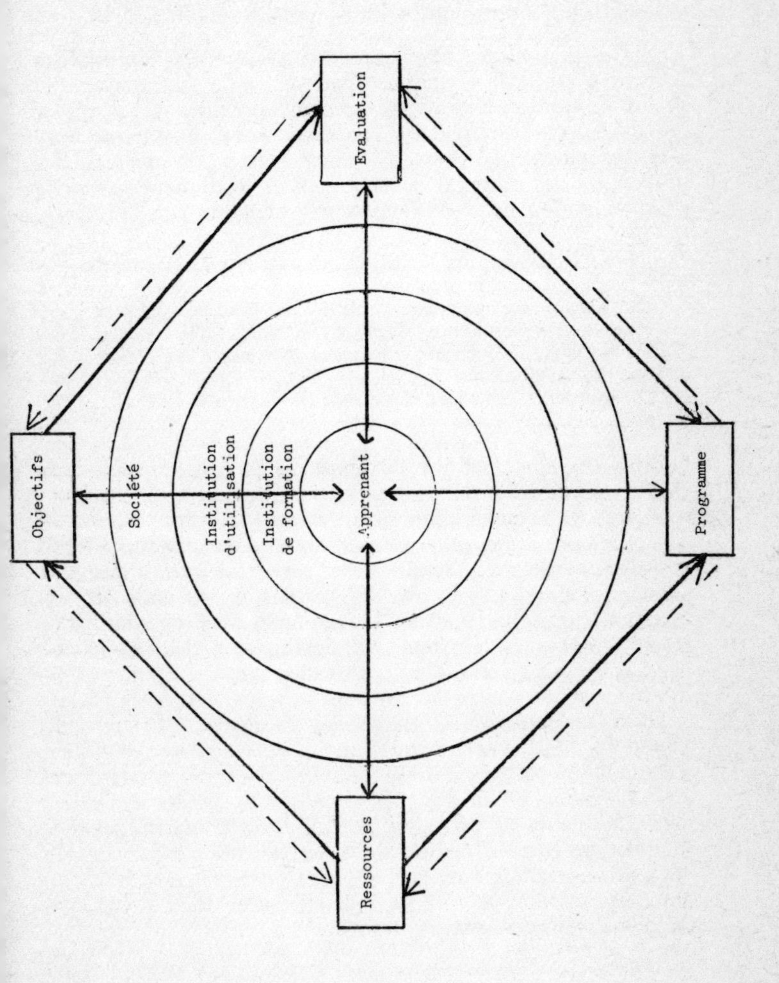
Evaluation
Objectifs
Société
Institution
d'utilisation
Institution
de formation
Apprenant
Programme
Ressources

où l'apprenant détiendrait désormais miraculeusement tous les pouvoirs sur son apprentissage. C'est au contraire — ceci est fondamental — la recherche permanente des compromis que les partenaires doivent nécessairement faire pour réaliser ensemble leur projet. C'est une approche axée sur le dialogue. Elle doit assurer l'harmonisation optimale, et non parfaite ou utopique, des interactions entre toutes les composantes d'un système.

L'identification des besoins joue dans une telle approche un rôle privilégié. Elle permet aux partenaires de s'informer sur la réalité de leur situation d'enseignement/apprentissage, de régler leurs relations et d'organiser les composantes du système. Elle n'est pas seulement un moyen de mieux définir préalablement des objectifs et des contenus, mais devient un instrument au service de la réalisation même de l'approche systémique dans sa totalité.

> De ponctuelle qu'elle tendait à être, l'identification des besoins langagiers devient permanente.
> De descriptive et analytique, elle devient prise de conscience, par toutes les parties intéressées, de certains faits et phénomènes.
> De statique, elle devient un moyen dynamique de choisir et de prendre des décisions.
> D'uniforme, elle devient multiforme (Richterich et Chancerel 1977, 8).

On peut reprocher à cette étude de ne pas répondre aux ambitions formulées dans l'introduction. La deuxième partie est consacrée à l'énumération, sous forme de listes, des types d'informations à recueillir. Elle est répartie en 24 sections selon le principe suivant : identification par l'apprenant, avant et pendant l'apprentissage, de ses besoins en fonction de ses ressources, objectifs, modes d'évaluation et des programmes. Le même système est appliqué à l'identification des besoins de l'apprenant par l'institution de formation puis d'utilisation. Une troisième partie décrit succinctement, avec des exemples en annexes, onze techniques de recueil de données. On pourrait s'attendre à trouver quelques indications sur les conditions d'exploitation pédagogique de ces informations par des pratiques de négociation et de prise de décision. Il eût été également nécessaire de mieux présenter l'identification comme régulatrice des relations entre les composantes des systèmes d'enseignement/apprentissage. Malgré ses lacunes, cette étude a le mérite d'avoir tenté de redéfinir le rôle de l'identification des besoins dans l'enseignement des langues étrangères :

— La notion de besoins langagiers ne peut pas être réduite aux seuls usages prévisibles de la langue dans des situations de communication prédéterminées, mais doit être construite en fonction de l'ensemble des composantes des systèmes d'enseignement/apprentissage.

— On ne peut pas dissocier les besoins de l'individu, expression intime de sa personnalité, de ceux des institutions et de la société. Un besoin est toujours le produit des interactions du couple individu-environnement.

— L'opération d'identification n'est plus au seul service de la définition préalable des objectifs et des contenus. Elle est un moyen pédagogique, parmi d'autres, de prendre conscience, de décider et de régler des interrelations.

— De ce fait, elle n'a plus lieu qu'une seule fois, avant la réalisation d'un projet, mais plusieurs fois, et peut même devenir une activité régulière.

— Elle n'a plus recours à des moyens lourds que seuls des spécialistes savent utiliser, mais propose un éventail de pratiques légères à disposition de tous les partenaires.

3.4.4. La formulation des besoins langagiers

L'exploitation de la notion de besoin langagier par la pédagogie des langues étrangères étant plus récente que celle d'objectifs, les modèles d'identification sont moins nombreux que ceux de construction d'objectifs. Mais, à la base, leur fonction est identique : fournir des éléments de référence organisés en systèmes de catégories, où nous retrouvons d'ailleurs, sous une forme ou une autre, les trois mêmes classes : « Les besoins se rapportant au comportement », « Les besoins se rapportant au contenu linguistique proprement dit », « Les besoins se rapportant à l'exploitation, l'utilisation et la production du contenu » (Richterich 1973, 60). Ce sont les catégories psychologiques, linguistiques et sociologiques déjà mentionnées. Mais si l'application des modèles de construction d'objectifs aboutit à des formulations du type « être capable de... » ou à des listes de contenus, l'application des modèles d'identification ne parvient pas à donner une expression spécifique aux besoins langagiers. Les fiches d'analyse que présente Richterich (1973, 61-64) comme exemples comportent une rubrique « besoins » sous laquelle on trouve des énoncés tels que « d'avoir un comportement sympathique, respectueux, poli avec un ou des clients », « de pouvoir écrire des lettres, remplir des formules, prendre des notes », « de pouvoir lire des articles, rapports, ouvrages traitant de sciences nucléaires ». Il suffit évidemment de remplacer « besoins de... » par « être capable de... » pour obtenir une formulation classique d'objectifs. Le modèle de Munby (1978) sert explicitement à « définir le contenu des programmes de langues pour des buts spécifiques ». Toutes les données rassemblées pour décrire les deux exemples d'études de cas sont directement converties en listes de contenus. Nous retrouvons ici le problème déjà soulevé de l'isomorphisme des besoins, objectifs et contenus. Dans l'étude de Richterich et Chancerel (1977), les besoins langagiers ont complètement disparu du schéma illustrant l'approche systémique. Leur identification devant servir à

prendre conscience et à négocier, on ne voit pas sous quelle forme ils vont réapparaître, bien qu'ils soient mentionnés dans les titres des sections consacrées aux types d'informations. Cette absence de formulation spécifique est normale. Les besoins langagiers en tant que tels n'existent pas. Ils ne peuvent avoir de réalité qu'en rapport avec un objet-but et un ou des individus. Ils sont donc nécessairement traduits en termes de définition de contenus, de détermination d'objectifs et de description de publics. C'est dans ce sens qu'il convient d'interpréter la confusion terminologique dans les applications des modèles. Car il ne faut jamais oublier qu'une identification de besoins langagiers n'est pas un but en soi. Elle est toujours au service de quelque chose d'autre et s'incarne dans des pratiques destinées à recueillir des informations sur des personnes et leur emploi d'une langue étrangère pour :
— construire des objectifs ;
— choisir des contenus ;
— élaborer l'ensemble d'un système d'enseignement/apprentissage ;
— régler les interactions entre les composantes d'un système.
L'expression « besoins langagiers » a peut-être un sens douteux ; mais elle est utile pour exprimer une réalité complexe.

Quant aux pratiques, elles sont très diverses. On peut, provisoirement, les classer en deux grandes catégories :
— Celles qui recueillent d'abord des informations pour ensuite les exploiter dans une opération de préparation ou de réalisation de l'enseignement/apprentissage.
— Celles qui, par le fait même de recueillir des informations, constituent une action d'enseignement/apprentissage.

3.5. Les pratiques d'identification

3.5.1. Qui identifie ? quoi ? comment ?

Le choix et l'utilisation de telle ou telle pratique dépendent de plusieurs facteurs : le temps et l'argent disponibles, le but et le lieu de l'identification, la personnalité de celui qui identifie. Un futur apprenant qui se renseigne auprès des institutions susceptibles de lui fournir le cours de langue qui correspond le mieux à ce qu'il estime être ses besoins n'aura pas recours aux mêmes moyens qu'une équipe de spécialistes identifiant les besoins d'un public donné pour le compte d'une institution de formation. Les situations d'identification sont toujours particulières et il n'existe pas de recettes universelles. « Dans chaque cas, il faut mettre en place des adaptations spécifiques, modulations singulières de principes généraux. Pour y parvenir, on ne dispose guère de moyens plus fiables que le questionnement » (Porcher 1980a, 22).

En effet, la démarche première de toute identification consiste à poser un certain nombre de questions. A soi-même d'abord, pour déterminer quelles informations sont nécessaires et où, quand, comment on peut les recueillir, à autrui ensuite, pour obtenir celles dont on ne dispose pas personnellement. Il n'est donc pas étonnant que le questionnaire sous toutes ses formes soit l'instrument privilégié de l'identification des besoins langagiers. Certaines questions sont générales et s'imposent quelle que soit la situation, mais la façon de les poser peut varier et orienter ainsi les réponses. D'autres questions sont spécifiques et reflètent les intérêts particuliers des personnes concernées. Quoi qu'il en soit, l'information recueillie par l'observation ou par l'interrogation est toujours influencée, d'une façon ou d'une autre, par celui qui observe ou interroge. Le fait de poser telle question et non telle autre, de telle façon, à tel endroit et à tel moment, de même que les critères choisis pour observer tel élément d'une réalité plutôt que tel autre, sont autant de facteurs dont il faut tenir compte lorsqu'on interprète des données. Il est par conséquent essentiel de savoir d'abord qui identifie. Sans vouloir être exhaustif, on peut trouver les cas suivants :

— Un apprenant, pour se renseigner sur les conditions d'enseignement offertes par les institutions et choisir le cours de langue correspondant le mieux à ses besoins ou pour prendre conscience de ses objectifs et possibilités d'apprentissage.

— Un conseiller pédagogique, pour aider les apprenants à choisir et à exploiter les possibilités d'enseignement/apprentissage offertes par une institution.

— Un enseignant, pour mieux connaître les membres de son groupe-classe et pour adapter son enseignement en conséquence.

— Un auteur, pour concevoir et réaliser un matériel pédagogique en fonction d'un public déterminé ou d'une demande plus générale.

— Un ou plusieurs spécialistes — enseignants, conseillers pédagogiques, chercheurs, administrateurs — travaillant pour le compte d'une institution qui peut être :
- Une institution de formation, pour proposer et organiser des systèmes d'enseignement/apprentissage.
- Une entreprise commerciale, industrielle, une administration, pour décrire l'utilisation des langues étrangères en vue du recrutement et, éventuellement, de la formation du personnel.
- Une administration d'instruction publique, pour déterminer des objectifs, établir des programmes, planifier l'enseignement des langues vivantes.
- Un organisme de statistiques, pour recueillir des données sur une population déterminée dans les domaines de la connaissance, l'utilisation et l'enseignement des langues étrangères.
- Une institution de recherche, pour développer des instruments d'identification et analyser le problème des besoins langagiers.
- Une maison d'édition, pour étudier le marché des matériels pédagogiques dans le secteur des langues étrangères.

Cette liste montre que chaque personne ou groupe de personnes a ses raisons propres d'identifier des besoins langagiers qui conduiront à des choix différents des questions à poser et des informations à recueillir. Bien que ces dernières puissent prendre les formes et avoir les contenus les plus variés, on peut les regrouper en trois grandes classes qui recoupent celles que nous avions retenues à propos des objectifs :

— Informations sur **les personnes** concernées directement ou indirectement par la réalisation d'un projet de recherche et/ou d'enseignement/apprentissage. Au niveau d'une institution de formation : apprenants, enseignants, conseillers pédagogiques, personnel administratif, entourage en dehors de l'institution. Au niveau d'une institution d'utilisation : personnes employant telle ou telle langue étrangère. Au niveau d'une société : une population donnée.

— Informations sur **l'environnement** dans lequel des personnes réalisent un projet de recherche et/ou d'enseignement/apprentissage.

— Informations sur **la ou les langues** concernées par la réalisation d'un projet de recherche et/ou d'enseignement/apprentissage.

Distinguées ici pour des raisons d'analyse, ces trois classes d'informations sont en fait toujours interdépendantes, tant il est vrai que des personnes font aussi partie de l'environnement d'autres personnes et qu'une langue n'a de réalité qu'utilisée par des individus dans un environnement donné. Le choix des informations dépend de leur pertinence par rapport aux buts et moyens de l'opération. On peut s'inspirer des modèles ou des identifications existantes qui serviront de listes de contrôle pour le questionnement. Cette première démarche consiste à dresser le catalogue de toutes les questions dont les réponses seront autant d'informations à recueillir et à traiter. C'est un travail de réflexion, de recensement, d'observation, d'analyse, souvent à partir du simple bon sens. Il se réalise seul, à l'exemple de Porcher dans ses *Interrogations sur les besoins langagiers en contextes scolaires* (1980a, 22-34), ou en équipe, notamment sous la forme de *« brainstorming »*. Mais le questionnement ne porte pas seulement sur le contenu d'une identification, il porte aussi sur l'ensemble des problèmes à résoudre pour la mener à terme. Rappelons-les brièvement, car ils sont fondamentaux, et à négliger de les poser, on risque de se lancer dans une impasse :

— Les besoins langagiers de quelle(s) personne(s) doivent-ils être identifiés ?
— Quels sont les moyens disponibles ou à se procurer pour réaliser l'identification (temps, finances, personnel) ?
— Quelles informations sont nécessaires ?
— Qui va les recueillir ?
— Où, quand, comment ?
— Qui va traiter les informations recueillies ?

— Où, quand, comment ?
— Sous quelle(s) forme(s) apparaîtront les résultats de l'identification ?
— Sous quelle(s) forme(s) ces résultats seront-ils exploités dans l'application des systèmes d'enseignement/apprentissage ?
— Qui va évaluer l'utilité et la rentabilité de l'identification ?
— Où, quand, comment ?
— ...

Ici encore la pertinence ou non-pertinence des questions ainsi que leur hiérarchie dépendent des situations d'identification. En tout état de cause, c'est la ou les réponses qui vont déterminer le choix et l'application des pratiques. Nous entendons par ce terme les moyens effectivement utilisés par une ou plusieurs personnes pour identifier leurs propres besoins ou ceux d'autrui par le truchement du recueil et du traitement d'informations. Nous distinguerons quatre catégories :

— Les pratiques mettant en **interactions verbales directes** une ou plusieurs personnes, qui recueillent les informations, avec une ou plusieurs personnes, qui donnent les informations : entretiens directifs, semi-directifs, non directifs, questionnaires oraux, tests oraux, activités pédagogiques orales dont on tire des informations...

— Les pratiques mettant en **interactions verbales indirectes** une ou plusieurs personnes, qui recueillent les informations, avec une ou plusieurs personnes, qui donnent les informations : questionnaires écrits, tests écrits, échelles d'attitude, activités pédagogiques écrites ; informations fournies oralement à distance et enregistrées...

— Les pratiques mettant en **interactions non verbales** une ou plusieurs personnes, qui recueillent les informations, avec une ou plusieurs personnes, qui donnent les informations : toute forme d'observation...

— Les pratiques qui permettent à une ou plusieurs personnes de recueillir des informations à partir d'un **document écrit, visuel ou sonore,** non produit spécialement pour une identification de besoins langagiers : toute forme d'analyse de contenus...

Chaque pratique établit en fait des relations différentes entre la ou les personnes qui recueillent les informations et les documents ou les personnes qui les fournissent. Chacune possède également ses caractéristiques aussi bien dans ses modes d'élaboration que d'utilisation. Ainsi, certaines sont standardisées et ne peuvent être utilisées que telles quelles. C'est le cas notamment de nombreux tests psychologiques et de personnalité (Albou 1968, Zurfluh 1976), de tests de langues (Buros 1975, Savard 1977), d'échelles d'attitude et d'instruments divers de mesure des intérêts (Alexandre 1971, Dupont *et al.* 1979), de grilles d'observation (Postic 1977, Kohn 1982), de procédures d'analyse de contenu (d'Unrug 1974, Gardin 1974, Gardin *et al.* 1981). Mais, le plus souvent, les pratiques doivent être élaborées et exploitées spécialement en fonction des impératifs et de la situation d'identification. Afin d'obtenir des résultats significatifs, certaines règles doivent être observées pour mener à bien une recherche où des pratiques telles que le questionnaire, l'entretien ou l'interview, le test, l'observation, l'analyse de contenu sont utilisées de façon appropriée (De Landsheere 1970, Friedrichs 1973, Javeau 1978, Ghiglione et Matalon 1978). Tout dépend néanmoins de la valeur scientifique qu'on veut donner à l'identification. Car un enseignant peut très bien « bricoler » pour ou même avec ses apprenants un questionnaire, une échelle d'attitude ou un test, sans prétendre en faire des instruments de mesure scientifiques et généralisables. Ce n'est pour lui qu'une activité pédagogique supplémentaire qui lui permet, tout en faisant pratiquer la langue étrangère, de rassembler quelques informations pour mieux connaître ses apprenants et pour leur faire prendre conscience de l'un ou l'autre aspect de leur apprentissage. Il n'y a pas de différence proprement qualitative entre les pratiques standardisées, les pratiques élaborées *ad hoc* selon les règles de l'art et les pratiques bricolées. Chaque sorte remplit une fonction particulière et doit être utilisée dans des conditions et avec des résultats qui lui sont propres. Le futur apprenant qui se renseigne auprès du secrétariat d'une école, l'enseignant qui observe à l'aide d'une grille confectionnée par lui-même, le spécialiste qui dirige une équipe pour la réalisation d'une enquête par questionnaire, chacun, à sa manière, identifie des besoins langagiers.

3.5.2. Quelques grandes enquêtes

De nombreuses identifications de besoins langagiers ont été réalisées ces quinze dernières années pour des buts divers, portant sur différents publics et au moyen des pratiques les plus variées. Il est souvent difficile d'en obtenir les résultats et même d'en connaître l'existence, car les documents restent à l'état de rapports internes. Avec la vogue de l'approche communicative centrée sur l'apprenant, il était d'usage, dans les années 70, d'analyser les besoins langagiers de tout un chacun comme étape préalable à la velléité d'améliorer l'enseignement/apprentissage des langues étrangères. Des enquêtes de plus ou moins grande envergure ont été conduites dans différents contextes. Faute de place, nous ne pouvons les analyser ici en détail. Nous n'en citerons que quelques-unes pour examiner les pratiques qu'elles ont utilisées.

L'enquête menée en 1971-1972 par une équipe du Language Teaching Centre de l'Université de York et publiée en 1974 sous le titre *The Use of Foreign Language in the Private Sector of Industry and Commerce* (Emmans *et al.*) est devenue un classique de l'analyse des besoins langagiers. Elle avait pour but de mettre à l'épreuve les techniques d'enquête par questionnaire pour recueillir le plus d'informations possibles sur l'utilisation des langues étrangères dans le secteur privé de l'industrie et du commerce au Royaume-Uni. Dans un premier temps, le contenu des offres d'emploi parues dans la presse pendant une année et exigeant, à un titre ou un autre, la connaissance d'une ou plusieurs langues étrangères a été analysé. Puis, trois questionnaires ont été envoyés : le premier, à un échantillon de personnes ayant obtenu un diplôme à divers niveaux de scolarité en 1960, pour savoir quelles langues étrangères elles ont apprises en dehors de ou à l'école, quels usages elles ont faits et font actuellement de ces langues dans leurs activités professionnelles, quel est le niveau de leurs aptitudes ; le second, à un échantillon d'organisations industrielles et commerciales, pour situer l'utilisation des langues étrangères dans leurs différents départements et pour savoir si elles offrent des cours internes de langues ; le troisième, à un échantillon d'employés pour savoir quelles langues étrangères ils ont apprises en dehors de ou à l'école, quel est le niveau de leurs aptitudes et quels usages ils font des langues étrangères dans leur emploi actuel. Cette enquête est aujourd'hui encore exemplaire à cause du choix et de la formulation des questions des trois questionnaires qui, par leurs combinaisons, ont permis d'obtenir un maximum d'informations pertinentes. En 1972 également, The London Chamber of Commerce and Industry faisait auprès de ses 2600 entreprises membres une enquête sur leur utilisation des langues étrangères (Lee 1977). L'originalité de cette recherche réside dans son questionnaire présenté sous forme de matrice dont l'axe horizontal comporte 10 catégories de personnel et l'axe vertical 21 activités langagières couvrant les quatre aptitudes. Il suffit de mettre une croix dans la case correspondante pour indiquer qui fait quoi en langue étrangère. Les résultats de l'enquête sont également exposés de façon originale, désormais classique : des diagrammes circulaires permettent de reconnaître d'un coup d'œil les dominantes du profil d'utilisation des langues étrangères de chaque catégorie de personnel. Dans le domaine de l'industrie et du commerce, signalons aussi les enquêtes faites en République fédérale d'Allemagne à l'aide de questionnaires traditionnels (Schröder *et al.* 1979, Christ *et al.* 1979).

L'*Étude de la demande de formation en langue étrangère de la population adulte de l'agglomération grenobloise* (Billiez *et al.* 1975) s'inscrit dans un projet plus global que les enquêtes citées ci-dessus, car elle fait partie intégrante de l'élaboration et du développement des actions de formation permanente entreprises par le Centre de didactique des langues de l'Université de Grenoble (Dabène *et al.* 1978). Les informations recueillies doivent donc servir directement à « l'élaboration méthodologique » de ces actions. L'équipe de Grenoble a pris en considération aussi bien l'offre que la demande, c'est-à-dire qu'elle a tenté de « rechercher tout ce qui pouvait être perçu par un individu résidant à Grenoble » (Billiez *et al.* 1975, I, 5) dans le domaine de l'enseignement et de l'apprentissage des langues étrangères. Les pratiques employées ont été : le recensement, la classification et l'analyse de la documentation sur « toutes les structures organisationnelles qui offrent une formation en langues pour adultes dans la région grenobloise » (*ibid.* 5) ; des entretiens non directifs (mais quand même bien structurés, comme en fait foi le guide d'entretien figurant en annexe IV, II, 23-24) avec des directeurs d'organismes, des professeurs, des libraires, des hôtesses d'accueil ; un questionnaire semi-directif (avec une part importante de questions ouvertes) appliqué par des enquêteurs à un échantillon de la population grenobloise. Par le nombre et la qualité des informations qu'elle fournit, notamment sur les représentations que se font les gens des langues, cette étude restera une précieuse source de références.

Ces enquêtes portent sur une catégorie particulière de personnes, par exemple, des employés, sur une région, Grenoble, ou sur un domaine spécifique d'activités, l'industrie et le commerce. D'autres travaux analysent l'enseignement ou l'utilisation des langues étrangères à un niveau général ou à l'échelle d'un pays tout entier, par exemple, de l'Autriche (Oesterreichisches Statistisches Zentralamt 1976), des Pays-Bas (Oud de Glas 1979) ou du Danemark (Looms 1983). Les méthodes appliquées dans ce type d'enquête appartiennent généralement à la catégorie des questionnaires.

Une autre entreprise de grande envergure a été l'étude réalisée en 1975 par une équipe canadienne sous la direction de Gilles Bibeau avec pour « objectif d'isoler dans l'activité globale de formation et d'apprentissage de la Fonction publique canadienne les aspects qui pourraient être améliorés, corrigés ou rajustés pour maximiser le succès des étudiants qui suivent la formation linguistique » (Bibeau éd. 1976, I, 5). Publiée en 1976 en 13 volumes bilingues, selon l'usage des textes officiels canadiens, sous le titre de *Rapport de l'étude indépendante sur les programmes de formation linguistique de la Fonction publique du Canada* (Bibeau éd. 1976), cette enquête est unique en son genre par l'ampleur et l'intégralité des informations qu'elle a recueillies et analysées. Certes, dans son ensemble, elle dépasse la simple identification de besoins langagiers. Pourtant, sa partie centrale peut être considérée comme telle, notamment le volume 3 sur les *Indices psychologiques de succès dans l'étude d'une langue seconde* et surtout les deux parties du volume 4 sur *l'Étude des conditions psychosociales de l'apprentissage et de l'utilisation d'une langue seconde dans la Fonction publique du Canada.* Dans l'approche désignée comme « multivariée » pour recueillir et traiter les informations, la plupart des pratiques d'identification ont été utilisées. Différents types d'échelles d'attitude, de tests psychométriques, de tests de langue ou d'aptitude, de questionnaires, d'entretiens, etc., c'est une mine où l'on trouve pratiquement tout ce qui existe pour analyser le comportement de personnes en rapport avec l'enseignement, l'apprentissage et l'utilisation des langues. Ce qui fait aussi la richesse de cette étude, c'est la combinaison entre les moyens standardisés utilisés tels quels, les moyens standardisés adaptés aux fins propres de la recherche et les moyens fabriqués sur mesure.

Soulignons que cette étude a été commanditée par le Conseil du Trésor canadien dans le cadre des actions entreprises par le Gouvernement pour mettre en œuvre la loi de 1969 stipulant l'égalité de traitement des langues française et anglaise, notamment dans la Fonction publique. Elle avait donc une portée politique et pratique immédiate qui explique la rapidité avec laquelle elle a été menée à terme. Si on la rapproche d'une autre recherche de grande envergure, celle entreprise par une équipe du CREDIF sous la conduite de Pelfrêne et Porcher intitulée *Analyses de besoins langagiers d'adultes en milieu professionnel (Préalables à une formation)* (1976), cette dernière se présente comme une réflexion approfondie et à plusieurs voix, à la recherche d'une «épistémologie» de l'analyse des besoins langagiers. C'est à notre connaissance l'étude la plus fouillée du concept. A partir d'interviews réalisées dans plusieurs entreprises, elle en cerne les aspects sémantiques, sociologiques, économiques et pédagogiques.

3.5.3. Autres pratiques

La presque totalité des identifications réalisées dans les années 70 a porté sur des populations d'adultes. La *Recherche des centres d'intérêts et des besoins langagiers des élèves de 9 à 11 ans en vue de l'élaboration du programme d'anglais, langue seconde, niveau primaire* conduite par Malenfant-Loiselle et Jones (1978) pour le Ministère de l'Education du Québec n'en est que plus précieuse. L'adaptation de la technique du questionnaire à un public d'enfants est ,particulièrement intéressante et a dû poser de nombreux problèmes aussi bien sur le plan de la formulation des questions que sur celui de leur contenu. Mais d'autres pratiques ont été utilisées qui sont plus originales et qui favorisent l'expression spontanée des enfants dans différentes situations: par exemple, le «cercle magique» réalisé dans des séances d'animation intitulées «Atelier Raconte-moi», le «Survival Game» et le «Role Playing» (Malenfant-Loiselle et Jones 1978, 107-116, 117-125, 127-132). Ces pratiques d'identification doivent particulièrement retenir notre attention. La première, parce qu'elle invite les enfants à s'exprimer librement et permet d'obtenir ainsi des renseignements parfois inattendus, les deux autres, parce que, sous la forme de jeux linguistiques en anglais, elles recueillent des informations tout en faisant utiliser la langue étrangère. Nous somme d'avis que c'est en développant ce type de pratiques indirectes, c'est-à-dire qui rassemblent des informations par le biais d'activités pédagogiques, que les identifications de besoins langagiers continueront à être utiles dans l'enseignement des langues étrangères. Car il faut bien le reconnaître, depuis quelques années, l'intérêt pour les grandes enquêtes a considérablement diminué sinon disparu, pour plusieurs raisons :

— La notion de besoin langagier, en général, a perdu de son importance, est « usée ». C'est un processus normal. Certaines notions jouent un rôle-clé parce qu'elles aident à cristalliser momentanément les idées. Puis elles sont remplacées par d'autres.

— On s'est rendu compte qu'il ne suffisait pas d'analyser des besoins langagiers, puis de déterminer les objectifs et enfin de définir un programme pour que l'enseignement change nécessairement. La notion magique de besoin n'a pas influencé la méthodologie.

— Les grandes enquêtes coûtent cher, prennent beaucoup de temps et nécessitent la participation de spécialistes. Une fois terminées, rien ne garantit que les résultats en seront directement exploités au niveau de la classe de langue, de sorte que la rentabilité en est souvent discutable.

— Aux techniques lourdes et coûteuses, il faut substituer des pratiques légères que tout le monde peut utiliser. L'identification des besoins langagiers se banalise et fait partie de la panoplie courante des moyens dont dispose tout apprenant et enseignant ; elle ne fait plus l'objet d'études particulières et suit le développement normal des pratiques pédagogiques.

Un bon exemple de ce changement d'attitude nous est fourni par la grande enquête menée de 1979 à 1981 par la Standing Conference of Heads of Modern Languages in Polytechnics and other Colleges (SCHML) dans les institutions relevant de l'éducation supérieure en Grande-Bretagne, sous les auspices du Conseil de l'Europe, du Département de l'Education et de la Science ainsi que de la Chambre londonienne du Commerce et de l'Industrie (Gardner et Winslow 1982, 1983). Le projet avait un double objectif : a) analyser la situation actuelle des cours de langues offerts par les institutions concernées pour planifier les changements nécessaires en fonction de l'évolution de la didactique et de la demande ; b) tester la fiabilité des pratiques d'identification proposées par le Conseil de l'Europe dans l'ouvrage de Richterich et Chancerel (1977). Un nombre impressionnant d'informations a été recueilli grâce aux moyens suivants : analyse de tous les documents concernant les cours de langues dans ces institutions, différents types de questionnaires, échelles d'attitude, interviews dirigées, entretiens collectifs. Les responsables de cours de langues, les enseignants, les étudiants et des personnes utilisant des langues étrangères ont été les informateurs. Ces informations furent traitées par ordinateur. Mais selon les responsables, plus que l'exploitation des résultats, c'est l'effet que cette enquête a eu sur les personnes et les institutions qui leur a paru important. Les pratiques choisies ont été présentées et utilisées de façon que les enseignants et les responsables de cours puissent se familiariser avec elles. L'identification est apparue comme un moment de prise de conscience et de dialogue entre tous les partenaires. C'est ainsi que plusieurs institutions ont décidé de l'incorporer à leurs programmes, de former les enseignants et d'en faire une activité permanente de négociation.

Il est intéressant de comparer cette enquête avec l'identification réalisée par le CREDIF sous les auspices du Conseil de l'Europe et du Ministère de l'Education Nationale (Porcher 1982, 1983). L'un des objectifs était aussi de tester la validité de la méthodologie proposée par Richterich et Chancerel (1977). Mais la situation était toute différente puisqu'il s'agissait de deux classes de travailleurs migrants apprenant le français en formation permanente dans une entreprise industrielle relevant de l'Académie de Versailles. L'identification devait servir directement l'enseignement sous la forme de matériels produits « sur mesure ». Il convenait donc d'observer comment elle pouvait devenir un instrument permanent de régulation pédagogique. Les pratiques utilisées ont été le questionnaire, les entretiens, l'observation de classe, l'analyse du contenu du journal de bord tenu par l'enseignant et de certaines productions écrites des apprenants. Conçue comme une expérience, cette identification ne pouvait avoir l'impact de l'enquête anglaise puisqu'elle ne touchait qu'un nombre limité de personnes, mais elle a permis de mieux cerner les conditions parfois difficiles de réalisation en prise directe avec la pédagogie quotidienne.

C'est dans la même perspective pédagogique qu'a œuvré une équipe animée par Dalgalian dans certains Instituts français de la République fédérale d'Allemagne. A partir d'un grand questionnaire destiné à mieux connaître les publics fréquentant les cours des Instituts (Dalgalian 1977, 1979, Demuth *et al.* 1978), d'autres pratiques ont été introduites — questionnaires restreints et périodiques, interviews, séances d'auto-évaluation, de bilan et de travail autonome — qui cherchent toutes à aider l'apprenant à se situer par rapport à l'offre de cours. Cette identification de besoins a également eu un effet formateur sur les enseignants et a servi à la production de matériel sur mesure (Lohézic et Pérusat 1979, Dalgalian 1983).

La pratique instituée depuis quelques années par les Eurocentres (Schärer 1983) est particulièrement intéressante et caractéristique des nouvelles tendances d'identification des besoins langagiers. L'apprenant tient, dans la langue cible, une sorte de journal de bord organisé en six sections et qui lui permet de faire le point périodiquement de son apprentissage et de l'enseignement. Ce journal est régulièrement discuté avec l'enseignant et devient ainsi le lieu d'un dialogue et d'une prise de conscience, tout en étant celui d'une activité pédagogique.

Originale est aussi la revue périodique orale présentée sur cassette et envoyée par l'Institut français de Thessalonique aux professeurs grecs de français (Sapin-Lignières 1983). Le contenu de cette revue est conçu de façon à engager les enseignants à s'exprimer pour donner des informations non seulement sur leurs besoins langagiers mais aussi sur leurs problèmes psychologiques et professionnels. C'est à nouveau un instrument de dialogue, comme le sont les interviews soigneusement préparées que conduit le National Centre for Industrial Language Training en Grande-Bretagne (Hoadley-Maidment 1983) avant, pendant, à la fin d'un cours et même trois ou six mois plus tard et qui lui permettent d'ajuster de façon constante ses programmes.

Relevons enfin les actions ponctuelles que mène le British Council un peu partout dans le monde pour proposer, à la demande d'institutions diverses, des programmes de formation sur mesure à partir d'une identification de besoins. En se basant sur le modèle de Munby (1978) qu'ils adaptent aux situations locales, les spécialistes du British Council recueillent leurs informations essentiellement à l'aide d'interviews, d'observations, d'entretiens collectifs, d'analyses de documents, avec la volonté de donner à leur opération le caractère le moins formel possible (Hawkey *et al.* 1981, Hawkey 1983). Ils veulent ainsi préparer les personnes responsables et les enseignants à poursuivre l'action d'identification après leur départ.

Ces dernières identifications de besoins langagiers montrent combien elles peuvent être variées. Mais on aura constaté qu'elles portent toutes sur des adultes. Cela tient essentiellement au fait que la notion de besoin langagier est associée à l'utilisation et à l'apprentissage pratiques d'une langue. Comme on ne connaît pas l'usage que feront les élèves en âge de scolarité de la ou des langues étrangères qu'ils sont le plus souvent obligés d'apprendre, on en déduit qu'ils n'ont pas de besoins. C'est pourquoi la majorité des analyses qui pourraient se rapprocher des identifications de besoins et qui ont trait aux enfants ou aux adolescents portent sur les attitudes et les motivations. Il convient de mentionner dans ce domaine les travaux de Gardner et Lambert (1972, Gardner 1980), parce que dans leurs nombreuses études effectuées au Canada et aux Etats-Unis, ils ont recours aux mêmes instruments de mesure, notamment les échelles d'attitude, et aussi parce qu'ils ont mis en évidence le rôle de l'ethnocentrisme dans l'apprentissage des langues étrangères et établi la distinction désormais classique entre motivation intégrative et motivation instrumentale. Signalons également les enquêtes de Düwell (1979), dont le questionnaire et les échelles d'attitude ne comportent, ensemble, pas moins de 200 items (*ibid.* 282-300). Ils constituent une bonne synthèse des pratiques actuellement utilisées dans les recherches sur les attitudes et les motivations dans l'apprentissage des langues étrangères.

3.5.4. Rôle des identifications

Toute identification de besoins langagiers est d'abord un questionnement. Il s'agit toujours d'en savoir plus sur l'enseignement, l'apprentissage et l'utilisation d'une ou plusieurs langues étrangères, par une ou plusieurs personnes, dans un environnement donné. Ce questionnement conduit à rassembler des données à l'aide de pratiques qui établissent différents types d'interactions entre les personnes qui recueillent et les sources qui fournissent des informations, qu'elles soient des personnes ou des choses. D'abord questionnement, puis recueil et traitement de données, l'identification aboutit ou devrait aboutir à la prise de conscience et à la négociation.

Si la notion de besoin langagier, dans les systèmes d'enseignement/apprentissage des langues étrangères, se rapporte à ce que les individus interprètent comme nécessaire pour concevoir et régler, au moyen de la langue qu'ils apprennent ou enseignent, leurs interactions avec leur environnement, les pratiques d'identification auront pour rôle de les aider à :
— mieux comprendre la nature et le fonctionnement de ces interactions par rapport à leurs composantes linguistiques, psychologiques et sociologiques ;
— proposer les objectifs, les contenus et les activités pédagogiques qui rendent ces interactions les plus profitables à l'enseignement/apprentissage de la langue ;
— négocier les décisions nécessaires pour que ces interactions ne soient pas seulement profitables à l'enseignement/apprentissage mais aussi au développement de la vie de chacun et du groupe.

La description de quelques-unes de ces pratiques nous conduira maintenant à resituer les notions d'objectifs d'apprentissage et de besoins langagiers dans une pédagogie de la négociation, où la trajectoire est plus importante que la cible, où l'instant est vécu pour lui-même, où l'imprévisible voire l'improvisation sont exploités dans leurs vertus heuristiques.

4. Objectifs et besoins dans une pédagogie de la négociation

4.1. De l'imprévisible à l'errance

Si nous avons retenu le terme de **négociation** comme concept-clé de la pédagogie des langues étrangères que nous tenterons d'esquisser dans ce dernier chapitre, c'est parce qu'il nous paraît être riche d'exploitations dans des sens maintes fois évoqués précédemment. Mais nous y associons, sans pouvoir les développer ici, d'autres notions tout aussi nécessaires, telles que :

— **L'imprévisible :** pouvoir communiquer dans une langue, c'est être capable de faire face à l'imprévisible, et même, paradoxalement, de le prévoir. En fait, on ne sait jamais exactement ce qu'on va entendre, dire, lire ou écrire. Les processus de compréhension et de production de textes écrits ou oraux sont encore très mal connus. Ce qui est frappant, notamment dans la communication orale, c'est la rapidité avec laquelle chacun des interlocuteurs perçoit les données de la situation et applique les règles de fonctionnement de la langue utilisée ; il parvient ainsi à comprendre des énoncés qu'il n'a jamais entendus auparavant et qu'il n'avait pas prévu d'entendre et à prononcer, selon son libre choix ou forcé par le déroulement de la communication, les énoncés correspondant à ce qui s'est dit et qu'il ne pouvait non plus prévoir. L'être humain possède la faculté remarquable d'élaborer instantanément et continuellement des hypothèses qui lui permettent d'anticiper ce qu'il va devoir comprendre et dire oralement ou par écrit. Si la classe de langue étrangère apparaît trop souvent comme un lieu de communication artificiel et morne, c'est peut-être aussi parce que l'imprévu y tient trop peu de place, aussi bien dans les activités pédagogiques que dans l'utilisation de la langue.

— **L'improvisation :** bien que l'enseignement/apprentissage soit largement prédéterminé par le programme et le matériel, son déroulement même est aussi, dans une certaine mesure, soumis à l'imprévisible, quel que soit le soin mis par l'enseignant à préparer sa leçon et l'apprenant à faire ses devoirs. Les interactions entre les individus et leur environnement sont constamment influencées par d'innombrables événements. Il importe, par conséquent, que l'enseignant soit prêt à improviser certaines de ses démarches, c'est-à-dire qu'il sache repérer instantanément les faits inopinés et décider spontanément ceux qu'il peut exploiter favorablement. Une pédagogie de l'improvisation ne signifie pas qu'on puisse faire n'importe quoi n'importe comment. L'organiste qui improvise une fugue ou le trompettiste un blues inventent sur le moment leur mélodie, mais en suivant un schéma harmonique prédéterminé. Dans le même sens, on peut imaginer un ensemble de règles d'actions et d'interventions à partir duquel l'enseignant pourrait improviser sa pédagogie au gré des situations et du moment. L'apprenant peut être exercé à faire face à l'imprévisible de la communication langagière par divers types d'exercices et d'activités plus ou moins formels ; mais une pédagogie de l'improvisation le fera encore plus naturellement.

— **L'imagination:** c'est peut-être la faculté qui manque le plus aussi bien aux enseignants, didacticiens, auteurs de matériel qu'aux apprenants. L'institution de formation a plutôt comme effet de tuer que de développer l'imagination. Une pédagogie de l'improvisation qui crée constamment de nouveaux types d'interactions, qui provoque et sait exploiter l'imprévu, qui invente spontanément de nouveaux moyens, qui se laisse surprendre et qui surprend, favorisera nécessairement le développement de l'imagination des enseignants et des apprenants.

— **La découverte:** la classe de langue est souvent ressentie comme ennuyeuse parce que les interactions s'y répètent et que l'enseignant, n'ayant plus rien à découvrir ni dans les contenus ni dans les moyens de les enseigner, transmet son savoir comme si les apprenants n'avaient pas à le découvrir. Il nous paraît essentiel que la pédagogie mette en place des procédures qui conduisent les partenaires à inventer et essayer ensemble les moyens toujours renouvelés de réaliser leur projet d'enseignement/apprentissage. A la limite, qui n'est peut-être pas aussi absurde qu'il y paraît à première vue, on peut songer à un système où l'enseignant ne saurait pas la langue qu'il est censé enseigner et où il la découvrirait et l'apprendrait en même temps que les apprenants, son rôle consistant, dès lors, à chercher, organiser et gérer, avec eux, les ressources d'apprentissage.

— **L'errance:** cette notion peut surprendre. Elle nous est néanmoins très chère. Nous l'avions utilisée en 1981 lors d'une table ronde au 12e colloque annuel de l'Association canadienne de linguistique appliquée à Ottawa (Richterich 1981, 200) sans savoir que Cotin (1979, 4) l'avait déjà employée dans sa préface à un dossier sur *La ville* préparé pour l'enseignement, au niveau secondaire, du français au Portugal. En pédagogie des langues étrangères, le chemin le plus court et le plus direct n'est pas toujours le meilleur. Pour découvrir, il faut savoir hésiter, se tromper, se perdre, revenir en arrière, flâner, faire des détours, errer. On peut se déplacer rapidement et directement d'un endroit à un autre à Paris par le métro sans rien voir de la ville. Si l'on veut la découvrir et la connaître, le meilleur moyen n'est-il pas d'y errer ? De même, on peut atteindre efficacement, par un enseignement limité à des contenus linguistiques soigneusement prédéterminés, des objectifs pédagogiques définis à l'avance avec précision sans que l'apprenant connaisse rien d'autre que ces contenus. Or, tout enseignement/apprentissage d'une langue étrangère devrait être, au moins implicitement et indirectement, plus que cela. Il devrait aussi apprendre à aimer ce qui est différent et à chercher, essayer, inventer. Ces objectifs qu'on ne saurait définir opérationnellement ne peuvent être atteints que par des moyens eux aussi indéfinis. D'où la nécessité de réserver des moments où apprenants et enseignant errent ensemble dans les chemins qui les conduisent au but de leur projet.

Nous ne voulons nullement opposer une pédagogie rigoureuse, où contenus et pratiques sont soigneusement prévus, à une pédagogie de l'improvisation, de la découverte et de l'errance, où contenus et pratiques sont inventés spontanément au moment même de la réalisation des interactions entre apprenants, enseignant et environnement, ni remplacer l'une par l'autre. Une pédagogie de la négociation englobe les deux démarches. Un bon négociateur a des objectifs précis et connaît dans le détail les données et les arguments qui vont lui permettre de les atteindre. Mais il sait aussi faire face à l'imprévisible des réactions de son interlocuteur et choisir d'autres moyens que prévus pour modifier au besoin ses objectifs de départ et parvenir à un compromis. Parfois, il doit même emprunter des détours et errer pour mieux parvenir à ses fins. En négociation non plus, le chemin le plus direct n'est pas toujours le meilleur.

Une pédagogie de la négociation est résolument systémique et dynamique. Elle traite l'enseignement/apprentissage d'une langue étrangère comme un projet que des individus réalisent ensemble dans le cadre d'une institution. Ce qui implique :
— que les partenaires disposent d'instruments leur permettant de prendre conscience des données du projet, des ressources disponibles et des conditions de sa réalisation,
— que des procédures d'intervention soient intégrées au système d'enseignement/apprentissage de façon que les partenaires puissent, en tout temps, faire des propositions et prendre des décisions,
— que des pratiques d'observation et d'évaluation soient également intégrées au système pour que les partenaires puissent régler les interactions entre ses différents éléments constitutifs.

4.2. Les conditions de la négociation

Le terme de « négociation », comme ceux d'« objectif » et de « besoin », est emprunté à la langue courante. C'est dire que son utilisation en didactique et en pédagogie des langues peut prêter à de multiples interprétations. L'une d'elles, notamment, ne manquera pas d'associer la négociation à l'idée que l'apprenant, ou l'enseignant, a désormais la possibilité de tout remettre en cause, de proposer n'importe quoi et que les désirs de chacun doivent être pris en considération à la suite d'interminables discussions. Nous avons vu que l'analyse des besoins pouvait susciter des croyances analogues. Cette interprétation est évidemment fautive. Une pédagogie de la négociation consiste au contraire à aider les partenaires d'un projet d'enseignement/apprentissage à se rendre compte de ce qui est négociable et de ce qui ne l'est pas pour trouver les compromis nécessaires à sa réalisation. Elle ne favorise pas la contestation mais bien la concertation.

L'idée de négociation n'est pas nouvelle dans le domaine de l'éducation. Elle est présente dans toutes les pédagogies qui s'efforcent d'établir des relations entre enseignement et apprentissage, entre institution et individu qui font que l'apprenant puisse au moins assumer la part de responsabilité qui lui revient dans l'organisation de sa formation. Elle inspire aussi bien la pédagogie institutionnelle que les systèmes de formation par unités capitalisables (Chancerel 1978, 103-117). Mais l'exploitation plus récente de la notion de négociation par un didacticien comme Widdowson (1980, 1981a) incite à en faire un usage renouvelé et spécifique à la pédagogie des langues. Selon lui, toute situation de production et de compréhension d'un discours, oral ou écrit, peut être interprétée comme une situation de négociation dans laquelle des individus cherchent à se mettre d'accord sur le sens et le but de leurs interactions. Il convient de prendre le terme dans son acception la plus large et d'oublier la référence qu'il fait dans le langage courant aux mondes du commerce ou de la diplomatie. De façon très générale, on peut dire qu'il y a négociation lorsque au moins deux éléments s'influencent pour rechercher une entente en fonction d'un objet-but. Cette notion a l'avantage de préciser et d'enrichir celle de communication, mot-clé de la didactique des langues de la dernière décennie mais qui, à force d'être utilisé à tout propos, a perdu l'impact qu'il avait encore au début. Nous avons vu que la communication y est traitée surtout par rapport à son contenu sous forme d'inventaires de fonctions ou d'actes de parole accompagnés de leurs réalisations linguistiques possibles. Le renouvellement de l'enseignement des langues opéré par l'approche communicative ou notionnelle-fonctionnelle n'est en réalité que superficiel car il ne porte que sur deux éléments des systèmes de formation, la définition des objectifs et des contenus. Or celle-ci n'a pas entraîné de changements importants dans le fonctionnement des systèmes. On a remplacé les listes de structures des méthodes structuro-globales par des listes d'actes de parole ou de fonctions sans proposer d'autre pédagogie. L'enseignement est par conséquent encore et toujours fondé sur les contenus linguistiques.

En mettant l'accent sur le procès même de la communication langagière, la notion de négociation nous paraît apporter un élément propre à approfondir ce renouvellement. Elle permet de rendre compte, en partie au moins, des stratégies qu'utilisent les individus pour se mettre d'accord sur le sens de leurs discours et pour agir les uns sur les autres. De plus, elle peut aider à mieux comprendre les processus qui règlent les interactions entre les éléments d'un système d'enseignement/apprentissage et peut même être utilisée comme un instrument de régulation. Elle est donc intéressante à plus d'un titre et nous ne serions pas étonné qu'elle soit l'un des mots-clés de la pédagogie des langues des années 80. Si nous estimons nécessaire de remplacer désormais le terme de didactique par celui de pédagogie, c'est parce qu'il nous paraît mieux approprié aux préoccupations et aux recherches actuelles dans le domaine de l'enseignement et de l'apprentissage des langues. Quelles sont les relations d'un apprenant avec la langue qu'il apprend et avec ses environnements d'apprentissage et d'utilisation ? Telle est, globalement, l'une des questions qui se pose en priorité et à laquelle on tente de donner différents types de réponses. Elle est d'ordre pédagogique et c'est sans doute en intervenant au niveau de ces relations mêmes que l'on parviendra à agir avec efficacité sur l'enseignement et l'apprentissage. Cela ne signifie pas que les problèmes plus spécifiquement didactiques, comme la définition des contenus et des moyens de les enseigner, soient pour autant résolus ou sans intérêt. Nous sommes en revanche convaincu qu'ils ne sont pas prioritaires et surtout que ce ne sont pas les contenus linguistiques, quels que soient les termes choisis pour les formuler, qui doivent déterminer, en premier lieu, comme c'est presque toujours le cas, l'élaboration et la réalisation d'un programme. Les activités d'enseignement et d'apprentissage sont le produit, en constante transformation, des interactions entre les éléments constitutifs des systèmes de formation. C'est en agissant sur elles et non sur l'un ou l'autre élément que l'on parviendra le mieux à résoudre les problèmes pédagogiques et didactiques qui peuvent se poser. Il convient donc de développer des moyens d'analyse et d'intervention que les apprenants et l'enseignant vont utiliser tout au long de la réalisation de leur projet pour mieux comprendre et exploiter le fonctionnement de ces interactions.

Dans cette perspective systémique et interactionnelle, la notion de négociation nous paraît être un révélateur très utile. Sur le plan théorique, elle peut être exploitée dans les trois domaines de la linguistique, de la sociologie et de la psychopédagogie auxquels nous nous sommes déjà référé ; sur le plan pratique, elle peut être appliquée au développement et à la mise en place de certains moyens pédagogiques. Nous ne pouvons pas aborder dans le cadre limité de notre travail l'utilisation de la notion dans les descriptions théoriques. Rappelons, à titre d'exemple, que Roulet (1981a) a recours à des termes comme « échanges, interventions, stratégies d'interaction » pour analyser la structure de la conversation, termes qui sont tous proches de celui de négociation. La notion est également présente, de façon explicite ou implicite, dans les travaux américains d'ethnographie de la communication, de sociologie et de sociolinguistique interactionnistes (Bachmann *et al.* 1981), ainsi que dans les études sur les stratégies de communication et d'apprentissage en relation avec l'analyse des interlangues (Faerch et Kasper 1983). Les résultats de ces recherches théoriques nourrissent depuis quelque temps déjà la réflexion de nombreux chercheurs en pédagogie des langues, mais ils ne connaissent pas encore d'applications pratiques conséquentes. On peut d'ores et déjà prévoir que l'une d'elles consistera à redéfinir les contenus d'enseignement/apprentissage par la description des procédures permettant à l'apprenant d'apprendre à négocier :

— le sens des discours oraux et écrits qu'il doit produire ou comprendre *(stratégies d'interactions langagières)* ;
— les rôles qu'il peut jouer dans différents environnements sociaux *(stratégies d'interactions sociales)* ;

— son apprentissage en fonction des données d'un enseignement *(stratégies d'interactions pédagogiques)*.

Pourtant, une pédagogie telle que nous l'envisageons ne dépend pas seulement des contenus, même définis en termes de procédures de négociation. L'exemple de l'approche communicative nous a montré qu'on peut très bien enseigner des actes de parole avec des pratiques non communicatives. Le même phénomène peut évidemment se produire avec l'enseignement des procédures de négociation. C'est la raison pour laquelle nous pensons que ces dernières ne doivent pas seulement être présentées dans des contenus et enseignées au même titre que des structures ou des aptitudes, mais qu'elles doivent être d'abord et surtout pratiquées dans des activités qui règlent les interactions entre les différents éléments d'un système de formation donné. En agissant sur des relations, une pédagogie de la négociation peut, a priori, être appliquée dans n'importe quel système. Cela suppose, évidemment, certaines conditions de réalisation.

Il faut que les partenaires disposent d'un moyen de communication pour se comprendre et qu'ils aient un objet, qui peut être de nature très diverse comme, par exemple, le sens d'un énoncé ou la date d'une composition notée. Pour négocier, les individus suivent, schématiquement, les démarches suivantes :

— ils prennent conscience des données de la situation de négociation ;
— ils font des hypothèses sur la manière de réaliser leur objet en tenant compte de ces données ;
— ils utilisent le moyen de communication en fonction de ces hypothèses et du déroulement des interactions pour proposer, confronter et faire accepter leur objet ;
— ils évaluent le moment où la négociation est terminée par un accord, un compromis ou un désaccord.

Remarquons que ces démarches rejoignent celles que nous utilisons pour résoudre un problème : compréhension des données de départ, élaboration et anticipation des solutions hypothétiques, application de l'une d'entre elles, contrôle pour savoir si le problème est résolu ou non. Il est de plus probable que l'acte d'apprendre, bien qu'encore mal connu, suive, au moins en partie, des étapes analogues, de sorte qu'on peut poser, à la suite de Widdowson (1981a, 16), que toute pédagogie, comme toute communication, a recours à des procédés de négociation : « Ainsi tout acte de communication dans le processus discursif est un exercice de résolution de problème. Mais c'est aussi, nécessairement et du même coup, un acte d'apprentissage : l'acquisition d'une information nouvelle par l'exploitation de l'information déjà maîtrisée, une extension de la compétence de communication à d'autres domaines d'emploi ». Puisque, dans cette perspective, certains aspects des processus d'apprentissage et de communication langagière peuvent être raisonnablement associés à l'idée de négociation, autant essayer d'exploiter celle-ci pratiquement dans la mise en œuvre des systèmes d'enseignement/apprentissage des langues vivantes. Ce sera la tâche d'une pédagogie de la négociation. Mais quelles en seront les conditions d'application ?

Le premier problème qui se pose, dont tout dépend en définitive, est celui de la langue utilisée par les partenaires pour négocier. Dans le cadre institutionnel de formation, l'enseignant possède au moins trois avantages sur l'apprenant : d'abord, puisque sa fonction est d'enseigner une langue, il en a une connaissance supérieure qui, dans les représentations que s'en font les apprenants, devrait même être parfaite. Il détient un certain savoir qui lui confère automatiquement un certain pouvoir. Ensuite, connaissant mieux la langue, il saura également mieux l'utiliser pour argumenter, convaincre, faire accepter, voire imposer ses objets. Il a toutes les chances, par conséquent, d'être le meilleur négociateur. Enfin, il est investi par l'institution de la responsabilité de l'enseignement et des relations entre les individus. C'est lui qui prend les décisions et qui gère le temps à disposition pour réaliser le projet d'enseignement/apprentissage, c'est également lui qui répartit le droit de parler. Il possède ainsi un triple pouvoir sur la langue qui est enseignée, apprise et utilisée en tant que moyen de négociation. Son autorité peut encore être renforcée par d'autres facteurs tels que l'âge, l'expérience, la réputation, l'argent. Cette répartition inégale des pouvoirs et des savoirs est normale. Il nous semble illusoire de la nier ou de chercher à la supprimer d'un seul coup comme certaines expériences de pédagogie non directive ont tenté de le faire. Elle constitue une donnée fondamentale de la situation d'enseignement/apprentissage et ce n'est qu'à partir d'elle qu'une pédagogie de la négociation peut et doit être envisagée. Cette inégalité ne doit pas rester telle quelle tout au long du déroulement du projet. Au contraire, c'est la finalité même de toute formation que de donner à l'apprenant toujours plus de savoir et de pouvoir sur son apprentissage afin qu'il soit capable, un jour, de se passer de l'enseignant. Chaque maître n'est-il pas fier d'être dépassé par son élève ?

Les possibilités d'utiliser le moyen de communication étant inégales, une pédagogie se doit d'encourager et d'aider les partenaires à suivre les démarches de négociation pour régler leurs interactions. Dans le domaine de l'enseignement/apprentissage des langues étrangères, les situations suivantes peuvent se présenter :

— Groupe homogène de débutants ayant la même langue maternelle : les premiers moments de négociation se feront dans la langue maternelle qui sera progressivement remplacée par la langue cible. Lorsque la compréhension auditive des apprenants le permet, on peut prévoir que l'enseignant utilise la langue étrangère alors qu'eux continuent de recourir à leur langue maternelle. C'est une situation qui se retrouve fréquemment dans la vie hors de la classe où chaque interlocuteur parle la langue qu'il connaît le mieux mais comprend celle de l'autre. Relevons que les moyens langagiers de négociation devront toujours être adaptés au niveau de connaissance des apprenants et être développés en fonction de leur progression d'apprentissage.

— Groupe hétérogène de débutants ayant des langues maternelles différentes : situation la plus difficile où il faut bien admettre que s'il n'y a pas de possibilités de communiquer dans une langue, une pédagogie de la négociation n'est tout simplement pas applicable. La seule issue est d'intégrer au matériel pédagogique des moyens qui seront traités comme des contenus d'apprentissage jusqu'au moment où les ressources des apprenants leur permettront de négocier dans la langue cible.

— Groupe homogène ou hétérogène d'apprenants ayant déjà certaines connaissances de la langue étrangère : les moments de négociation se passeront dès le début dans cette langue avec des moyens adaptés au niveau du groupe.

Nous avons vu que la seconde composante de toute négociation concernait l'objet sur lequel un accord est recherché et qui, dans notre domaine, représente n'importe quel aspect d'un projet d'enseignement/apprentissage d'une langue étrangère. Il peut se rapporter aussi bien au matériel utilisé ou au nombre d'heures de cours prévu qu'à des pratiques pédagogiques ou à des attitudes de l'enseignant. Comme pour l'utilisation de la langue, une pédagogie de la négociation proposera des moyens d'aider les partenaires à faire des hypothèses sur les objets, l'essentiel étant que chacun se rende compte de ce qui est négociable et de ce qui ne l'est pas. C'est sans doute l'une de ses finalités que d'apprendre aux participants d'un projet d'enseignement/apprentissage à reconnaître ce qui, pour des raisons à élucider dans chaque contexte institutionnel, ne peut pas être négocié de ce qui peut l'être et ainsi d'apprendre du même coup à rechercher et accepter des compromis. Car si une négociation peut se terminer par la victoire du plus fort, du plus habile ou de la majorité, elle peut aussi aboutir à un accord qui est le résultat de concessions mutuelles des partenaires par rapport à l'objet que chacun voulait atteindre et imposer.

Une telle pédagogie n'est pas une nouvelle panacée. Elle ne s'incarne ni dans une méthodologie forte comme le structuro-behaviorisme, ni dans des définitions systématiques de contenus telles qu'on les trouve dans les approches communicatives, ni dans du matériel qu'on peut se procurer en librairie. C'est dire que son application dépend d'abord de l'attitude de l'enseignant et des apprenants. Ils doivent être convaincus de la possibilité de considérer l'enseignement/apprentissage d'une langue étrangère comme un projet qu'ils réalisent ensemble, pendant un certain temps, dans une institution et dans des conditions données, et qu'il vaut la peine, dans cette réalisation, de réserver des moments à la négociation afin de :

— régler et enrichir les interactions entre enseignant, apprenants et environnement,

— fournir aux partenaires du projet des occasions de mieux connaître les données de sa réalisation,
— proposer des objets pour les discuter et prendre des décisions en commun,
— rendre l'apprenant responsable de son apprentissage en l'aidant à l'organiser et à exploiter ses propres ressources en relation avec celles de l'environnement.

Si une certaine attitude constitue la première condition d'application d'une pédagogie de la négociation, elle n'est pas suffisante. Il faut encore qu'enseignant et apprenants aient les moyens de l'appliquer, c'est-à-dire qu'ils disposent d'instruments pour pratiquer, sous une forme ou une autre, à temps voulu, les démarches de négociation. Ces instruments, dont l'utilisation se traduit par des activités et des pratiques pédagogiques, doivent pouvoir être utilisés dans n'importe quelle situation, à condition qu'ils respectent ses caractéristiques. On ne négociera pas de la même manière avec des enfants qu'avec des adultes, dans des cours intensifs que dans des cours extensifs. Chaque groupe enseignant-apprenants devrait pouvoir définir ses propres pratiques de négociation, quels que soient l'institution dans laquelle il réalise son projet, le manuel utilisé, le programme qu'il est obligé de suivre. Il serait évidemment souhaitable que ces instruments soient intégrés aux matériels pédagogiques en fonction des publics visés. Ce serait la meilleure solution. Elle comporte malheureusement un danger. La négociation risque d'être enseignée comme un contenu et de perdre ainsi sa fonction de régulatrice des interactions entre enseignant, apprenants et environnement. Une pédagogie de la négociation permet justement de faire utiliser la langue non pas pour elle-même, pour acquérir des contenus dont on ne sait que faire, mais bien pour réfléchir sur les conditions de son apprentissage et pour apprendre à l'organiser. La salle de classe n'est-elle pas le lieu le plus naturel et authentique pour une telle utilisation ?

4.3. Les instruments de la négociation

La réalisation d'un projet d'enseignement/apprentissage d'une langue étrangère dans une perspective systémique nécessite le recours à un certain nombre d'opérations qui règlent les interactions entre les différents éléments du système et qui offrent du même coup l'occasion aux partenaires de mieux saisir ce qui se passe entre eux et leur environnement, alors qu'ils sont en train d'apprendre ou d'enseigner, et de prendre des décisions pour assurer un déroulement optimal de leur projet. Elles peuvent par conséquent être utilisées en même temps comme instruments de négociation.

Nous avons vu que l'identification des besoins langagiers et la détermination des objectifs d'apprentissage étaient des opérations de ce type et c'est en tant que telles que nous pouvons les considérer comme les instruments privilégiés de la négociation. En effet, la première, par le recueil et le traitement d'informations, permet la prise de conscience des conditions de réalisation d'un projet d'enseignement/apprentissage. La seconde permet de formuler des hypothèses, d'indiquer des directions, de faire des propositions, de justifier des choix. Nous retrouvons les deux premières démarches de la négociation.

Nous avons également insisté sur le fait que l'identification des besoins et la détermination des objectifs ne pouvaient être séparées. Elles ne sont jamais des fins en soi. Elles sont étroitement dépendantes l'une de l'autre et chacune ne peut remplir son rôle qu'en se référant à l'autre. De plus, elles ne servent à rien si elles ne sont pas conçues et réalisées en fonction de la mise en œuvre de l'ensemble du système. Nous avons relevé parmi les composantes celle qui a trait aux actions que font les apprenants et l'enseignant avec l'aide de ce que nous avons appelé les moyens. Il nous paraît important que les participants à un projet d'enseignement/apprentissage disposent d'un instrument qui les aide à observer ce qu'ils font pour pouvoir en discuter et prendre des décisions au sujet de leurs actions. L'identification des besoins et la détermination des objectifs n'ont de sens que si elles aident à mieux agir. C'est pourquoi elles doivent être complétées par une troisième opération que nous nommerons l'observation des actions. Sa fonction sera de contrôler si la réalité de l'enseignement/apprentissage correspond aux choix proposés par la détermination des objectifs et, éventuellement, d'en faire d'autres. On peut l'associer à la troisième démarche de la négociation.

Tout action produit un résultat qui lui donne sa valeur. L'observation doit donc être encore complétée par une autre opération, l'évaluation des résultats, qui correspond à la quatrième démarche de la négociation. Elle est destinée à aider les individus qui, dans une situation d'enseignement/apprentissage, plus que dans tout autre, sont constamment jugés, à comparer ce qu'ils ont voulu faire avec ce qu'ils ont fait et à contrôler si les objectifs choisis ont été atteints par le truchement des actions. Elle doit aussi et surtout servir à indiquer quels types d'interventions sont nécessaires pour assurer le bon fonctionnement du système et renvoie ainsi à l'identification des besoins, à la détermination des objectifs, à l'observation des actions ou à elle-même.

Bien que ces quatre opérations soient réalisées séparément, à des moments différents, elles sont par leur contenu indissociables. On ne peut déterminer des objectifs dans le vide sans se référer aux besoins, pour les fonder et les justifier, sans se faire au moins une idée de la manière dont ils pourront être atteints et sans se représenter les moyens de contrôler s'ils l'ont vraiment été. De même, il n'est guère possible d'identifier des besoins sans les associer à des objectifs, à des actions susceptibles de les satisfaire et aux résultats que celles-ci vont produire. En fait, ces quatre notions sont inhérentes à toute pédagogie. Chaque fois qu'un enseignant et des apprenants sont en interaction pour enseigner et apprendre, ils réalisent un certain nombre d'actions, en s'efforçant de tenir compte de leurs besoins, pour atteindre des objectifs et obtenir certains résultats. Les opérations que propose l'approche systémique sur ces quatre notions n'ont d'autre but que d'expliciter ce processus pédagogique fondamental pour en assurer un déroulement harmonieux.

Ces opérations sont généralement effectuées de l'« extérieur », par d'autres personnes que l'enseignant et les apprenants. Les besoins sont identifiés intuitivement ou au moyen d'enquêtes et les informations recueillies servent à élaborer des programmes, des matériels ou à déterminer des objectifs qui, formulés par des spécialistes, figurent, sous différentes formes, dans des textes officiels, des manuels ou des ouvrages du type niveau-seuil. L'observation des actions est depuis de nombreuses années l'objet de travaux théoriques et pratiques qui tentent de décrire ce que fait réellement un enseignant quand il enseigne et un apprenant quand il apprend. Conçus avant tout pour la formation des enseignants (Krumm 1974, Postic 1977), ils visent à mieux comprendre les fonctions et les conditions de l'enseignement. Certains travaux s'attachent à analyser le discours pédagogique (Sinclair et Brazil 1982, Pfaff 1983, Lörscher 1983), d'autres les interactions entre enseignant et apprenants (Moskowitz 1971, Long 1980, Loeser 1980, Allwright 1983). L'exploration des stratégies d'apprentissage et de communication en rapport avec l'interlangue, plus récente, se révèle être un des champs de recherche et d'observation les plus prometteurs (Bailey 1980, Tarone 1980, Rubin 1981, Cohen et Hosenfeld 1981, Bialystock 1981, Rubin et Thompson 1982, Kasper 1982, Faerch et Kasper 1983). Quant à l'évaluation des résultats, elle est l'opération qui pose le plus de problèmes (Bloom *et al.* 1971, Dominicé 1979, Oller 1979, 1983, Hugues et Porter 1983). Tout ce que dit et fait l'apprenant est constamment jugé, soit immédiatement, soit à terme, par d'autres apprenants, par l'enseignant, par des experts, sous toutes sortes de formes : réactions spontanées des collègues, correction immédiate, épreuves, travaux notés, contrôles, tests, examens, etc. Les résultats des actions de l'enseignant sont aussi évalués, soit directement, soit indirectement, par les apprenants eux-mêmes, par des supérieurs hiérarchiques, des conseillers pédagogiques, des inspecteurs, par des collègues ou d'autres personnes qui souvent le jugent par ouï-dire. Les actions d'enseignement et d'apprentissage sont complexes de sorte que leurs résultats observables et évaluables ne peuvent être que fragmentaires et ponctuels. La correspondance parfaite entre les objectifs déterminés, les actions réalisées pour les atteindre et les résultats obtenus est une quête pédagogique idéale qui n'aboutit jamais.

Lorsque ces opérations sont réalisées de l'« extérieur », elles servent à prendre des décisions pour organiser les systèmes d'enseignement/apprentissage. Elles peuvent également être elles-mêmes objets de recherche théorique ou pratique. Elles ne suffisent toutefois pas à assurer le déroulement d'une approche systémique. Il appartient en effet à l'enseignant et à l'apprenant de régler eux-mêmes leurs interactions afin que le système qui leur est imposé de l'« extérieur » fonctionne le mieux possible à l'« intérieur » de leur environnement spécifique. C'est dans ce sens que nous proposons de faire de ces quatre opérations des instruments de négociation. Nous avons vu que nous pouvions associer chacune d'elles à l'une des quatre démarches de la négociation :

— Identification des besoins = Prise de conscience des données de la situation.

— Détermination des objectifs = Élaboration d'hypothèses pour réaliser des objets.

— Observation des actions = Application des hypothèses.

— Évaluation des résultats = Estimation de la négociation.

L'utilisation en classe de ces quatre instruments, par l'enseignant et l'apprenant, dans leur complémentarité et leurs influences réciproques, permet de pratiquer ce que nous appelons une pédagogie de la négociation. Nous insistons sur « une », étant entendu qu'il peut exister de nombreuses autres possibilités. Rappelons aussi que ces quatre démarches reproduisent approximativement celles qu'on suit pour résoudre un problème.

Cette pédagogie n'est pas propre aux langues vivantes. Elle peut s'inscrire dans n'importe quel système, en fonction de n'importe quel contenu et n'importe quel matériel. Avec le développement de la méthodologie structuro-behavioriste et des approches communicatives, la pédagogie et la didactique des langues, depuis plus de vingt ans, ont trop souvent ignoré que l'enseignement et l'apprentissage d'une langue étrangère participaient à la formation générale des individus. En tant que personnes, acteurs sociaux et apprenants, ils doivent aussi pouvoir enrichir, par la langue étrangère, leurs facultés cognitives et affectives, leurs possibilités d'agir socialement et leurs stratégies d'apprentissage. Les instruments de négociation spécifiques que nous proposons à partir d'une conception pédagogique globale auront donc pour fonction première de favoriser cet enrichissement. Ils ne constituent certes pas les seuls moyens d'enseignement et d'apprentissage. Une pédagogie de la négociation s'intègre toujours à une autre qui est déterminée par les systèmes en place et le matériel utilisé. Elle est nécessairement appliquée à certains moments seulement, pendant lesquels les partenaires font le point et prennent des décisions pour organiser leurs activités et régler leurs interactions. Mais en faisant cela, ils pratiquent la langue étrangère qui n'est plus réduite à un contenu qu'on enseigne mais devient un moyen de communication qu'on utilise de façon authentique pour agir.

Nous ne pouvons présenter ici que des esquisses de ces instruments sous la forme de cadres de références et de descriptions de pratiques. Les premiers ont pour but de fournir des points de repère qu'enseignant et apprenants utilisent pour préciser les conditions et les objets de leur négociation. Ils ne sont pas exhaustifs. Ils ont une fonction heuristique pour aider les utilisateurs à découvrir eux-mêmes, par rapport à leur situation spécifique, sur quoi et comment ils vont négocier. C'est dire que ces cadres de références doivent, à chaque fois, être modifiés et recréés. Quant aux secondes, les descriptions de pratiques, elles proposent quelques moyens pour, en classe, tout en utilisant la langue étrangère, identifier des besoins langagiers, déterminer des objectifs, observer des actions et évaluer des résultats. Ce ne sont que des suggestions destinées à indiquer des pistes pour l'invention d'autres pratiques.

Le schéma de la page 135 résume ces quatre instruments de négociation :

Les *besoins langagiers* sont *identifiés* à partir de deux types d'information : les *ressources,* qui font référence à tout ce dont disposent des individus, en relation avec un environnement donné, pour satisfaire des besoins, et les *objets-buts,* qui indiquent sur quoi portent ces besoins, en l'occurrence, l'enseignement, l'apprentissage et l'utilisation d'une langue étrangère. L'identification des besoins est un *moment de prise de conscience* des conditions et des données de réalisation d'un projet d'enseignement/apprentissage. Elle consiste à recueillir et traiter des *informations.*

Déterminer des objectifs, c'est donner des indications, *formulées* de différentes façons, sur ce que les partenaires d'un projet sont censés avoir appris et enseigné après un certain temps et dans les conditions repérées par l'identification des besoins. Ces indications se réfèrent à des *contenus* qui englobent aussi bien des savoirs que des savoir-faire et des comportements, et aux *moyens* envisagés pour atteindre les objectifs. C'est un *moment où l'on élabore des hypothèses,* et où l'on choisit des directions pour l'avenir.

Pour assurer un fonctionnement systémique de l'enseignement/apprentissage, il est indispensable que l'enseignant et les apprenants puissent observer ce qu'ils font pour réaliser les objectifs déterminés. Cette *observation* peut être concrétisée par différents modes de *description des actions d'enseignement* et *d'apprentissage* et de leurs relations. C'est un *moment* de vérité où les *hypothèses sont appliquées* et où la réalité est confrontée avec les projections dans le futur. On cherche aussi à rééquilibrer les interactions entre les composantes du système.

Toute *évaluation* se fait par *comparaison* entre deux éléments dont l'un sert de norme ou de repère. Les *résultats* des apprenants

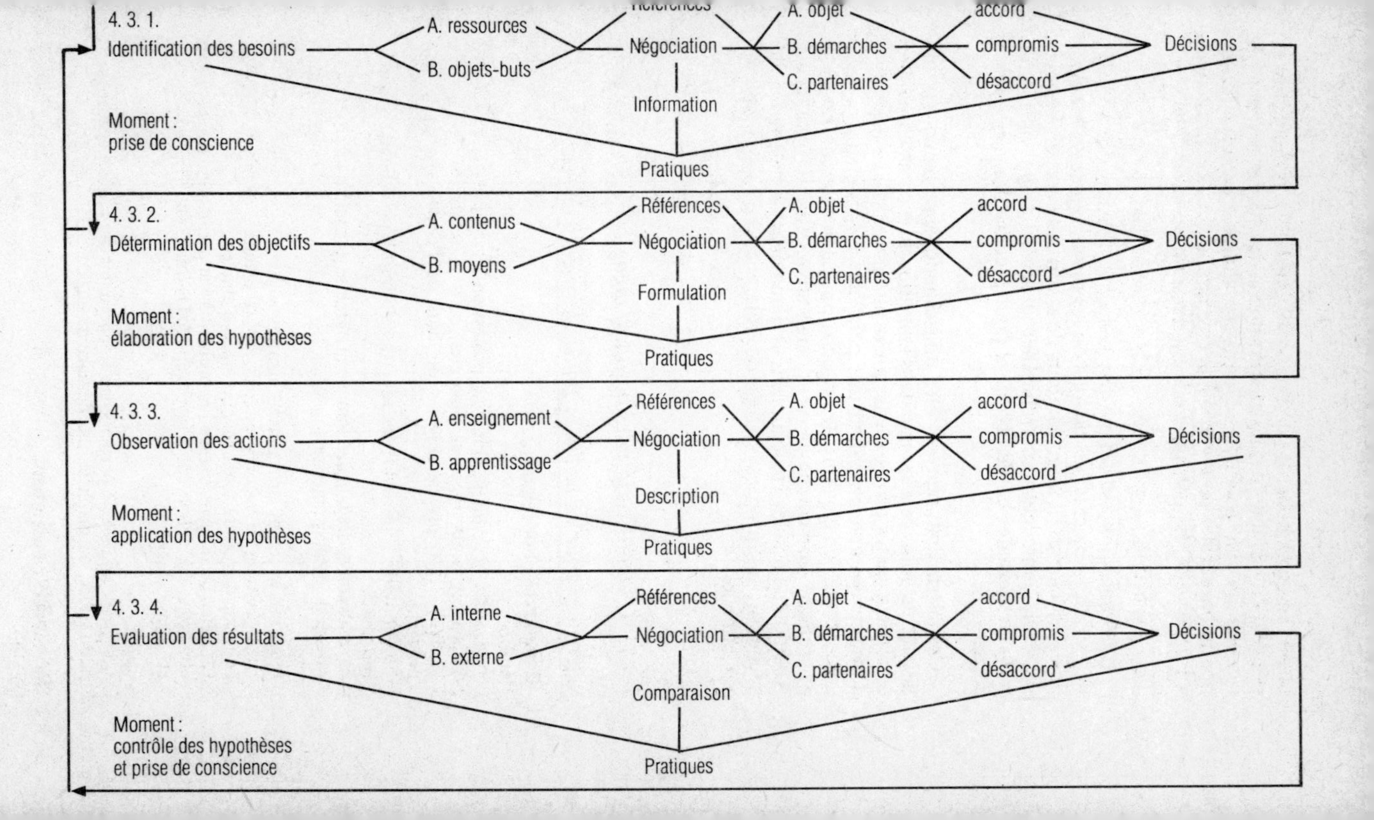
4. 3. 1.
Identification des besoins
A. ressources
B. objets-buts
Négociation
Information
B. démarches
C. partenaires
compromis
désaccord
Décisions
Moment :
prise de conscience
Pratiques
4. 3. 2.
Détermination des objectifs
A. contenus
B. moyens
Références
Négociation
Formulation
A. objet
B. démarches
C. partenaires
accord
compromis
désaccord
Décisions
Moment :
élaboration des hypothèses
Pratiques
4. 3. 3.
Observation des actions
A. enseignement
B. apprentissage
Références
Négociation
Description
A. objet
B. démarches
C. partenaires
accord
compromis
désaccord
Décisions
Moment :
application des hypothèses
Pratiques
4. 3. 4.
Evaluation des résultats
A. interne
B. externe
Références
Négociation
Comparaison
A. objet
B. démarches
C. partenaires
accord
compromis
désaccord
Décisions
Moment :
contrôle des hypothèses
et prise de conscience
Pratiques

et de l'enseignant seront comparés d'abord avec les objectifs et peuvent être évalués par les auteurs même des actions (évaluation *interne*) ou par quelqu'un d'autre (évaluation *externe*). Cette opération permet de *contrôler* le fonctionnement de l'ensemble du système. C'est pourquoi elle est aussi un *moment de prise de conscience*.

La *négociation* est définie par son *objet* (en rapport avec les besoins, les objectifs, les actions ou les résultats), ses *démarches* et les *partenaires*. Il s'agit toujours de savoir qui négocie avec qui, sur quoi, comment, pour rechercher un *accord* ou un *compromis* ou pour constater un *désaccord* et pour prendre des *décisions* en conséquence.

Ces instruments peuvent être utilisés indépendamment les uns des autres. Mais ce n'est que dans leur utilisation complémentaire et répétée qu'un projet d'enseignement/apprentissage pourra se dérouler véritablement dans une perspective systémique et dans un contexte pédagogique de négociation. La description suivante de chaque instrument se veut suggestive. Elle a pour seule ambition de donner envie au lecteur d'imaginer, d'improviser, de découvrir ses propres cadres de références et ses pratiques personnelles.

4.3.1. L'identification des besoins langagiers

Références pour recueillir et traiter des informations

A1. Ressources : apprenant

Identité :
1 Âge, sexe, nationalité, état civil, profession...
2 Éducation : scolarité, titres, diplômes...
3 Activités extra-professionnelles ou hors de l'école : sports, loisirs, politique...
4 Personnalité : introverti/extraverti, optimiste/pessimiste, décidé/hésitant...
5 Connaissances des langues : langue maternelle, langue(s) étrangères(s), niveau de connaissance, attitudes...

Temps :
1 Quel est le temps prévu par l'institution pour l'apprentissage de la langue étrangère ? Cours intensif, cours extensif, nombre d'heures hebdomadaires, de semaines, de mois, d'années...
2 Combien de temps consacre l'apprenant à l'apprentissage de la langue étrangère en dehors de l'institution ? Devoirs, activités en langue étrangère, vacances...

Argent :
Est-ce que l'apprenant participe au financement de son apprentissage ? Prix du cours, du matériel, des déplacements...

A2. Ressources : enseignant

Identité :
1 Âge, sexe, état civil...
2 Éducation : scolarité, formation professionnelle, titres...
3 Activités extra-professionnelles : loisirs, politique, sociétés...

4 Personnalité : introverti/extraverti, autoritaire/libéral, nerveux/patient...
5 Connaissance des langues : langue maternelle, langue(s) étrangère(s), niveau de connaissance, attitudes...

Temps :
1 Quel est l'horaire imposé par l'institution pour l'enseignement de la langue étrangère ? Nombre d'heures hebdomadaires, de mois...
2 Est-ce que l'enseignant enseigne d'autres langues ou disciplines dans l'institution ? Langue maternelle, histoire...
3 Est-ce qu'il enseigne en dehors de l'institution ? Leçons privées, autres institutions...
4 Combien de temps consacre l'enseignant à la préparation de ses cours ? Nombre d'heures quotidiennes, hebdomadaires...

Argent :
1 Est-ce que l'enseignant dispose d'un budget autonome pour l'enseignement de la langue étrangère ? Montant, contraintes comptables...
2 Est-ce qu'il participe personnellement au financement de son enseignement ? Achat de matériel, participation à des colloques...
3 Quelles sont les sources de son salaire ? Institution, leçons privées, droits d'auteur...

A3. Ressources : autres personnes

1 Quelles sont les autres personnes à l'intérieur de l'institution qui peuvent avoir une influence sur l'enseignement/apprentissage ? Directeur, conseiller pédagogique, secrétaire...
2 Quelles sont les autres personnes à l'extérieur de l'institution qui peuvent avoir une influence sur l'enseignement/apprentissage ? Parents, amis, collègues...

A4. Ressources : institutions

Identité :
1 Type d'institution : école obligatoire, université, école professionnelle, école privée...
2 Lieu : pays, grande ville, campagne...

Installation :
1 Salle de classe : mobilier, dimensions...
2 Média : laboratoire de langues, vidéo, ordinateur, moyens audiovisuels...

Matériel :
1 Est-ce que le matériel est imposé par l'institution ? Manuel, polycopiés, lectures, exercices enregistrés...
2 Est-ce que l'enseignant peut choisir le matériel ? Manuel, méthodes, matériel authentique...
3 Est-ce que l'enseignant peut produire du matériel ? Polycolpiés, exercices enregistrés...
4 Est-ce que l'apprenant peut proposer du matériel ? Matériel authentique, lectures...

B1. Objets-buts : langue (domaine linguistique)

1 Phonologie : oppositions, caractéristiques sonores et articulatoires...
2 Morphologie : catégories, variation des formes, déclinaison, conjugaison...
3 Syntaxe : fonctions, propositions, enchaînement des mots...
4 Lexique : formation des mots, richesse du vocabulaire, langue de spécialité...
5 Pragmatique : actes de parole, stratégies de négociation, interactions...
6 Textes : types de textes, règles discursives...
7 Thèmes : centres d'intérêt, civilisation...

Ou tout autre système de catégories auquel le matériel et l'enseignant font référence pour décrire la langue étrangère enseignée : prononciation, grammaire, vocabulaire... règles de grammaire générative transformationnelle... grammaire notionnelle-fonctionnelle... Il s'agit de répondre à la question suivante : avec les ressources à leur disposition, quels objets-buts, faisant référence à la langue, les partenaires cherchent-ils à réaliser pour apprendre, enseigner et utiliser la langue étrangère ?

B2. Objets-buts : enseignement/apprentissage (domaine psycho-pédagogique)

1 Aptitudes : compréhension et expression orales, compréhension et expression écrites ainsi que leurs combinaisons...
2 Stratégies d'apprentissage : ensemble d'actions organisées pour apprendre : mémoriser, deviner, résoudre un problème...
3 Stratégies d'enseignement : ensemble d'actions organisées pour enseigner : attirer l'attention, encourager, présenter...
4 Attitudes : vis-à-vis de la langue étrangère, de l'apprentissage, de l'enseignement, des personnes...

Ou tout autre système de références psycho-pédagogiques : catégories psychomotrices, cognitives, affectives.

B3. Objets-buts : utilisation (domaine sociologique)

1 Situations : repérage des composantes des situations de communication : les participants (leur nombre, rôle, statut...), le lieu, le moment, le canal (oral direct, oral médiatisé, écrit...)...
2 Environnement : dans quel environnement, avec quelles interactions est ou sera utilisée la langue étrangère ? Professionnel, social extraprofessionnel, privé, enseignement/apprentissage...
3 Motifs : pourquoi la langue étrangère est ou sera-t-elle utilisée dans tel environnement ? Pour gagner plus d'argent, pour avoir plus de pouvoir, pour faire carrière, pour briller en société, pour voyager... à cause d'un déménagement, parce qu'un membre de la famille parle la langue étrangère... parce que la langue étrangère figure au programme, pour réussir un examen, pour faire plaisir à des parents...

On pourrait être tenté de distinguer trois types de besoins selon la catégorie d'objets-buts : les besoins langagiers proprement dits, qui se rapportent à tout ce qui concerne la langue en tant que système, les besoins d'enseignement/apprentissage de cette langue et les besoins d'utilisation, qui font référence aux environnements dans lesquels elle est ou sera utilisée. Nous ne ferons pas cette distinction, car la notion de besoins langagiers recouvre toujours intrinsèquement les trois objets-buts. La mention d'un élément linguistique n'a de sens que s'il est mis en rapport avec ce qui est susceptible de l'enseigner et de l'apprendre. Mais pour être enseigné et appris, il doit nécessairement être utilisé dans l'environnement d'enseignement/apprentissage. Si l'identification des besoins langagiers peut, à un moment donné, pour des raisons pratiques, porter sur l'un ou l'autre objet-but, elle couvre toujours, ne serait-ce qu'implicitement, les trois domaines.

Pratiques pour identifier des besoins langagiers

Les pratiques d'identification ont pour fonction de servir de supports à des activités d'enseignement/apprentissage d'une langue étrangère pour apprendre à recueillir et interpréter des informations sur tout ce qui est susceptible d'influencer la réalisation d'un projet d'enseignement/apprentissage (*utiliser la langue étrangère dans un environnement d'enseignement/apprentissage pour en mieux comprendre les conditions de fonctionnement*).

Cela implique que ce sont les partenaires qui, selon leurs possibilités, notamment leur niveau de connaissance et leurs exigences, décident quelles informations ils vont recueillir et comment ils vont y parvenir. Ces pratiques se distinguent de celles généralement utilisées pour identifier des besoins langagiers par leur fonction pédagogique. Elles ne cherchent en aucun cas à rassembler et à traiter de manière scientifique des données. Elles offrent simplement une occasion, parmi toutes les autres, d'utiliser la langue étrangère.

— Les nombreuses façons de se présenter et de faire connaissance au début d'un cours sont autant de moyens simples et naturels de recueillir des informations sur les partenaires : se présenter à tour de rôle comme dans une séance ; la classe est divisée en groupes de deux apprenants qui s'interviewent mutuellement ; remplir des fiches d'identité que l'on fait circuler ; fabriquer un jeu de l'oie dont les tâches et les questions ont été inventées par les apprenants pour mieux se connaître (exemple dans Richterich et Suter 1983, 8-9)...

— La classe prépare elle-même un questionnaire sur ses ressources et objets-buts. Les différentes tâches sont confiées à des groupes d'apprenants : quelles informations et quelles catégories sont pertinentes ? Comment formuler les questions ? Où trouver les informations ? Qui interroger ? Que faire des résultats : des tableaux statistiques, un rapport, simplement une discussion...

— Les apprenants veulent mieux connaître l'enseignant et mettent au point une interview. Répartition des tâches par groupes : que désire-t-on savoir ? Qui pose les questions ? Quels types de questions ?...

— La classe construit une échelle d'attitude sur ses représentations de la langue étrangère et de son enseignement/apprentissage. On recueille dans un premier temps toutes les affirmations et opinions sur ce thème, sans aucune censure. Puis on fait un tri pour choisir les vingt à trente plus caractéristiques par rapport à leur valeur positive, neutre ou négative (cf. Richterich et Chancerel 1977, 111-112).

— Etablir individuellement, par groupes ou en commun, la liste de tous les objets qui constituent l'environnement immédiat d'enseignement/apprentissage. Trouver des catégories : ce qu'on peut déplacer, la couleur, la fonction, la forme des objets... (cf. Richterich 1982b pour d'autres occupations permettant de mieux percevoir l'environnement).

— Dresser en commun des inventaires de situations et d'environnements dans lesquels les apprenants sont susceptibles d'utiliser une fois la langue étrangère : trouver des paramètres et des catégories pour les caractériser.

— Par rapport à ces inventaires, les apprenants construisent individuellement un test d'auto-évaluation dans lequel ils imaginent et énumèrent un certain nombre de tâches qu'ils estiment être capables ou incapables de remplir dans la langue étrangère. Faire circuler les tests.

— Construire en commun un test de personnalité à choix multiples en s'inspirant de ceux qu'on trouve dans les magazines, du type : « le matin, vous vous levez a) facilement, b) difficilement, c) ça dépend » (on trouvera de nombreux tests de ce genre dans Ladousse 1983).

— ...

Références pour négocier lors d'une identification de besoins

Si l'identification consiste à recueillir des informations, la négociation, elle, a pour but de les interpréter pour mettre en interactions les divers éléments repérés. On peut considérer la satisfaction d'un besoin comme le résultat d'une négociation qu'engage un individu ou groupe d'individus entre ses ressources et ses objets-buts et ceux de son environnement. Pratiquement, négocier, c'est essayer d'obtenir quelque chose de quelqu'un susceptible de l'accorder, c'est proposer quelque chose de nouveau ou un changement dans ce qui existe déjà, c'est communiquer pour agir.

A. Objet de la négociation

Sur quoi va porter la négociation ?

1 Sur un des éléments des ressources : changer d'horaire, proposer un matériel, changer la disposition du mobilier...

2 Sur les objets-buts : « faire plus de grammaire », lire d'autres types de textes, utiliser la langue en fonction d'un environnement déterminé et non prévu dans le programme...

3 Sur les pratiques même d'identification : supprimer les moments d'identification car on y perd son temps, proposer un certain type de test...

B. Démarches de négociation

1 Repérer les conditions de la négociation :

a) A quel moment faut-il négocier ? Au début d'un cours, au début d'une leçon, pendant une leçon, quand il y a crise dans les relations entre enseignant et apprenants...

b) Qui prend l'initiative de la négociation ? Un apprenant, toute la classe, l'enseignant...

2 Repérer l'objet de la négociation :

Qu'est-ce qui est négociable, qu'est-ce qui ne l'est pas et pourquoi ? Le nombre d'heures ne peut pas être changé pour des raisons institutionnelles ; il devrait être possible de lire de temps en temps un journal en complément aux textes littéraires...

3 Faire et discuter des propositions :

a) Engager la négociation, exposer la situation.

b) Présenter les propositions.

c) Discuter les propositions, arguments pour ou contre.

4 Prendre des décisions :
a) A l'unanimité (accord).
b) A une majorité ou à une minorité mais acceptée (compromis).
c) Aucune décision ne peut être prise (désaccord).
d) Quels sont les effets des décisions ou non-décisions ? Rien ne change, reprendre la négociation, négocier avec d'autres personnes, il y a changement, imposer une décision...
e) Quand se produiront les effets de la négociation ? Immédiatement, dans un temps déterminé...

C. Partenaires

a) enseignant — toute la classe
b) enseignant — un groupe d'apprenants
c) enseignant — un apprenant pour son propre compte
d) enseignant — un apprenant comme porte-parole de la classe
e) un apprenant — un apprenant
f) un apprenant — un groupe d'apprenants
g) un groupe d'apprenants — une personne extérieure (directeur, conseiller pédagogique...)
h) un apprenant — une personne extérieure.
i) ...

Ces catégories n'ont qu'une fonction analytique. Elles ne rendent évidemment pas compte de toute la complexité des processus linguistiques et psycho-sociologiques qui sont en jeu lorsque des individus négocient. Elles devraient néanmoins aider les partenaires à mieux saisir sur quoi ils peuvent baser leurs pratiques sans les empêcher de négocier naturellement, ce qu'ils font, de toute façon, d'une manière ou d'une autre, lorsqu'ils réalisent ensemble un projet d'enseignement/apprentissage d'une langue étrangère.

Pratiques de négociation en rapport avec les besoins

Les pratiques de négociation ont pour fonction de servir de supports à des activités d'enseignement/apprentissage d'une langue étrangère pour traiter et discuter les informations recueillies par les pratiques d'identification des besoins langagiers, afin de prendre des décisions concernant les ressources, les objets-buts ou les pratiques d'identification (*utiliser la langue étrangère dans un environnement d'enseignement/apprentissage pour régler les interactions entre les éléments d'un système*).

Les pratiques d'identification des besoins langagiers, de détermination des objectifs, d'observation des actions, d'évaluation des résultats et les pratiques de négociation correspondantes sont complémentaires. Exécutées isolément ou en séquences, à des moments différents, elles constituent ensemble un réseau qui permet d'introduire une pédagogie de la négociation dans n'importe quel système d'enseignement/apprentissage d'une langue étrangère.

— La classe a travaillé en groupes séparés pour préparer un questionnaire ou une interview. Il convient maintenant de les mettre au point. Un porte-parole de chaque groupe présente les résultats de son travail, fait des propositions qui sont discutées.

Un ou plusieurs apprenants sont chargés de la mise en forme du document.

— Il arrive fréquemment qu'en cours de réalisation d'un projet, les relations entre apprenants et enseignant se détériorent sans qu'on sache pourquoi. Par groupes de deux, les apprenants font un catalogue des problèmes qui se posent en se référant à des catégories de ressources et d'objets-buts préalablement établies. L'enseignant fait de même. Chaque problème est ensuite présenté et discuté pour voir ce qui peut être changé et ce qui ne le peut pas. Les décisions peuvent faire l'objet d'un engagement écrit de la part de l'enseignant et des apprenants.

— Chaque réponse d'un questionnaire réalisé sur les ressources et les objets-buts peut être évaluée comme positive ou négative et servir de référence pour négocier les changements possibles dans les relations entre enseignant et apprenants.

— Les pratiques d'identification ont révélé de profondes divergences entre les ressources et les objets-buts des apprenants. La classe établit un catalogue des ressources qu'on peut éventuellement changer ou se procurer et des objets-buts qu'il convient de modifier.

— ...

4.3.2. La détermination des objectifs d'apprentissage

Références pour déterminer et formuler des objectifs

A. Contenus

1. Déterminer des objectifs d'apprentissage, c'est choisir des contenus qui peuvent faire référence (cf. objets-buts de l'identification des besoins langagiers) :
a) Au domaine linguistique - description de la langue à enseigner et à apprendre.
b) Au domaine psycho-pédagogique - aptitudes, stratégies, attitudes à acquérir.
c) Au domaine sociologique - description de l'utilisation de la langue étrangère dans des situations et des environnements donnés.
d) A d'autres domaines...

2. Déterminer des objectifs d'apprentissage, c'est informer, suggérer, donner des directives, prescrire... Sous quelle forme et où peut-on trouver la détermination des objectifs ?
a) Énoncés figurant dans des textes officiels.
b) Énoncés figurant dans des textes théoriques.
c) Énoncés figurant dans des matériels pédagogiques.
d) Table des matières des matériels pédagogiques.
e) Modèles de production d'objectifs figurant dans des textes théoriques.
f) Objectifs non formulés et se confondant avec des matériels pédagogiques.
g) Autres formulations.

3. Qui a déterminé les objectifs d'apprentissage ?
a) Une commission d'experts.
b) Un didacticien.

c) Un auteur de matériel.
d) L'enseignant.
e) L'apprenant.
f) D'autres personnes.

4. Quand ?
a) Date.
b) Au début d'un cours.
c) Pendant un cours.
d) Au début d'une leçon.
e) Au cours d'une leçon.
f) Autres moments.

5. Déterminer des objectifs d'apprentissage, c'est justifier des choix.
a) Est-ce que la détermination est fondée sur une identification de besoins langagiers ?
b) Peut-on déceler une adéquation entre les objets-buts identifiés dans les besoins langagiers et les contenus choisis dans les objectifs ?
c) Comment les informations recueillies par l'identification des besoins langagiers ont-elles servi à la formulation des objectifs d'apprentissage ?

3. Moyens

1. Déterminer des objectifs d'apprentissage, c'est envisager les moyens de les atteindre.
a) Temps : durée, fréquence, temps à l'intérieur de l'institution, temps à l'extérieur de l'institution...
b) Argent : quels sont les investissements à la charge de l'institution, de l'enseignant, de l'apprenant...
c) Matériel : quel matériel pédagogique est proposé, imposé, conseillé pour atteindre les objectifs...
d) Installation : quelles installations sont nécessaires pour atteindre les objectifs ? mobilier, médias...

2. Y a-t-il correspondance entre les ressources identifiées et les moyens envisagés pour atteindre les objectifs ?
a) Comment repérer cette correspondance ?
b) Faut-il se procurer d'autres moyens ?

Pratiques pour déterminer des objectifs

Les pratiques de détermination ont pour fonction de servir de supports à des activités d'enseignement/apprentissage d'une langue étrangère pour apprendre à choisir des contenus et des moyens d'apprentissage ainsi qu'à les exprimer sous une certaine forme (*utiliser la langue étrangère dans un environnement d'enseignement/apprentissage pour donner un sens à cet enseignement/apprentissage*).

Ces pratiques ne visent pas à établir des listes sophistiquées d'objectifs précis, mais, plus modestement, à aider les partenaires à exprimer, selon leurs moyens, ce qu'ils désirent ou doivent apprendre et pourquoi.

— A la fin d'une leçon dont les objectifs n'ont pas été déterminés, rechercher dans le matériel correspondant les termes qui définissent les contenus linguistiques appris. Puis répondre à la question : « Que sommes-nous capables de faire avec ces contenus ? » en se référant à des catégories d'utilisation.

— Repérer les contenus linguistiques d'une nouvelle leçon. Faire une liste, par groupes, des mots et expressions qui pourraient être appliqués à ces contenus et qui font référence à des aptitudes, comportements, situations, environnements...

— Dresser un catalogue de mots et d'expressions facilitant la formulation des objectifs d'apprentissage : « Je veux ..., je dois ..., j'aimerais ... », « être capable de ... », « savoir ..., faire ... », « pour ..., parce que ... ».

— L'enseignant expose le ou les objectifs d'une leçon ou d'un ensemble de leçons. Il demande à la classe d'essayer de les justifier au moyen de la question « pourquoi ... ? » et de la réponse « parce que ... ».

— Imaginer, par groupes, les moyens d'atteindre les objectifs déterminés par le règlement officiel d'un examen.

— Sous forme de *brainstorming,* la classe exprime toutes sortes d'objectifs, sans aucune censure, en relation avec l'apprentissage d'une langue étrangère, l'éducation en général, l'avenir...

— ...

Références pour négocier lors d'une détermination d'objectifs

Il ne suffit pas de déterminer des objectifs, il faut encore avoir les moyens de les atteindre. Combien d'apprenants, notamment adultes, ont pris la ferme décision d'apprendre telle ou telle langue étrangère, mais n'ont jamais réalisé leur but simplement parce qu'ils n'ont pas pu ou voulu y consacrer le temps nécessaire ! On se fixe un objectif en négociant des contenus d'apprentissage et les moyens de le réaliser. Les objectifs de l'apprenant sont constamment confrontés avec ceux de l'enseignant, de l'institution, d'autres personnes de son environnement (parents, amis, conjoint...) de sorte qu'il doit les négocier pour pouvoir les atteindre.

A. Objet de la négociation

Sur quoi va porter la négociation ?

1. Sur des éléments de contenus : les situations de communication et les environnements mentionnés dans la formulation des objectifs ne correspondent pas à ceux repérés par l'identification des besoins langagiers, il convient par conséquent de les changer ; les textes choisis datent et doivent être renouvelés ; la formulation des objectifs est trop vague et demande à être précisée...
2. Sur les moyens : le matériel imposé pour apprendre les contenus mentionnés dans les objectifs n'est pas adéquat de sorte qu'il faut en trouver un autre ; l'apprenant doit consacrer trop de temps en dehors de la classe pour apprendre le lexique fixé par les objectifs et il convient, soit de réduire le nombre de mots, soit de trouver du temps pendant le cours de langue...

3. Sur les pratiques mêmes de détermination : l'analyse des objectifs est trop compliquée ; la formulation des objectifs est inutile puisque de toute façon ils sont imposés par l'institution...

B. Démarches de négociation
Cf. Identification des besoins langagiers.

C. Partenaires
Idem.

Pratiques de négociation en rapport avec les objectifs

Les pratiques de négociation ont pour fonction de servir de supports à des activités d'enseignement/apprentissage d'une langue étrangère pour apprendre à choisir et justifier des objectifs d'apprentissage et prendre des décisions au sujet des contenus, des moyens ou des techniques de détermination (*utiliser la langue étrangère dans un environnement d'enseignement/apprentissage pour prévoir ce que l'on veut ou doit faire pour l'apprendre*).

Sauf pour les débutants absolus, toutes les pratiques de négociation peuvent être appliquées dans n'importe quelle situation pédagogique. Elles aident les apprenants à exploiter leurs savoir et savoir-faire, même restreints, dans des situations de communication où ils sont amenés à réfléchir sur leur apprentissage et à l'organiser.

— Proposer différents objectifs pour l'exploitation d'un texte oral ou écrit : enrichir le vocabulaire, développer des stratégies de compréhension orale ou écrite, comprendre un fait de civilisation... Les apprenants, par groupes,
a) prennent rapidement connaissance du texte,
b) analysent les objectifs proposés ou en projettent d'autres,
c) discutent les choix et établissent des priorités,
d) décident quels objectifs ils vont proposer.
Chaque groupe présente ses propositions à la classe qui les discute pour prendre des décisions éventuellement par vote.

— Proposer plusieurs textes dont l'un sera exploité. Chaque apprenant, individuellement, lit les textes, en choisit un et prépare quelques arguments pour justifier son choix. La classe décide ensuite quel texte elle veut exploiter.

— Par groupes, les apprenants établissent un ordre du jour idéal des trois prochaines leçons. « Qu'est-ce qu'on voudrait, pourrait, devrait faire et pourquoi ? »
a) Analyse et prise de conscience de la situation actuelle.
b) Projection des objectifs.
c) Discussion, justification, propositions.
d) Décisions et mise au point de l'ordre du jour.
Chaque groupe présente ses propositions et la classe décide avec l'enseignant, en fonction des contraintes institutionnelles, un ordre du jour réalisable.

— Les objectifs d'une leçon ou d'un ensemble de leçons ont été préalablement repérés. Est-ce que les moyens prévus pour les atteindre sont suffisants ? Si ce n'est pas le cas, la classe négocie avec l'enseignant, éventuellement avec d'autres personnes, des moyens complémentaires.
a) Prise de conscience des moyens prévus.
b) Projection de moyens complémentaires.
c) Discussion, propositions.
d) Décision de changer les objectifs ou de trouver d'autres moyens.

— ...

4.3.3. L'observation des actions

Références pour observer et décrire des actions

Il ne s'agit pas de donner à l'observation et à la description un caractère scientifique. Leur rôle est plus simplement d'aider l'enseignant et les apprenants à mieux « voir » ce qu'ils font réellement pendant un laps de temps déterminé. Les catégories de références peuvent être multipliées et raffinées à l'infini selon les points de vue choisis ; mais si l'on veut que l'instrument d'observation soit à la portée des négociateurs, il est indispensable qu'elles leur soient immédiatement compréhensibles. Il convient dès lors d'accepter toutes les réductions que cette simplification implique. N'oublions pas que l'utilisation de cet instrument aboutit à des activités d'enseignement/apprentissage de la langue étrangère et non à des descriptions théoriques.

A. Actions d'apprentissage

1. Écouter :
   a) l'enseignant
   b) un apprenant
   c) une autre personne — durée
   d) un enregistrement
   e) la radio
   f) ...

2. Parler :
   a) répéter
   b) répondre à une question
   c) poser une question
   d) résumer — durée
   e) traduire
   f) s'exprimer librement
   g) ...

3. Lire :
   a) silencieusement
   b) à haute voix — durée
   c) à tour de rôle
   d) ...

4. Écrire :
   a) copier
   b) sous dictée
   c) résumer — durée
   d) traduire
   e) s'exprimer librement
   f) ...

5. Autres actions : a) regarder
b) être assis
c) se déplacer
d) mimer — durée
e) dessiner
f) manipuler des objets
g) ...

6. Combinaisons d'actions : a) écouter + lire silencieusement
b) écouter + regarder
c) écouter + écrire — durée
d) parler + regarder
e) ...

7. Successions d'actions : a) écouter - parler...
b) écouter - écrire - lire...
c) parler - écouter... — durée
d) lire - écrire...
e) lire - parler...
f) ...

8. Interactions : a) enseignant - classe
b) enseignant - un apprenant
c) enseignant - un groupe d'apprenants — durée
d) un apprenant - un apprenant
e) plusieurs apprenants d'un groupe
f) ...

B. Actions d'enseignement

1. Gérer l'enseignement/apprentissage :
a) faire faire les actions d'apprentissage : donner des consignes, des stimuli, des informations...
b) régler les relations entre l'enseignant et les apprenants et entre les apprenants : ordonner, demander, suggérer, conseiller... à la classe, à un apprenant, à un groupe d'apprenants... de faire... ou d'être...
c) ...

2. Transmettre des contenus : a) exposer, expliquer, informer...
b) démontrer...
c) commenter...
d) exprimer une opinion, un sentiment...
e) répondre à des questions...
f) lire à haute voix...
g) écrire au tableau...
h) ...

3. Évaluer l'apprentissage : a) interroger...
b) corriger...
c) récompenser...
d) critiquer...
e) approuver...
f) punir...
g) ...

Pratiques pour observer des actions

Les pratiques d'observation ont pour fonction de servir de supports à des activités d'enseignement/apprentissage d'une langue étrangère pour décrire ce que font les partenaires afin d'apprendre à mieux exploiter les possibilités d'apprentissage (*utiliser une langue étrangère dans un environnement d'enseignement/apprentissage pour apprendre à apprendre*).

L'observation des actions permet de se rendre compte de ce qui se passe dans la classe et d'établir des relations de confiance entre les partenaires.

— Constituer en commun un tableau de bord de la réalisation du projet sous forme de grilles d'observation des actions d'enseignement et d'apprentissage. Se poser les questions : Que fait l'enseignant ? Que font les apprenants ensemble, en groupes, individuellement ? Que font les apprenants pendant les actions d'enseignement ? Quelles sont les relations avec les moyens ? Les actions observées sont réalisées pour atteindre quels objectifs ? Combien de temps dure chaque action ou ensemble d'actions ?... Choisir des catégories d'observation. Chaque apprenant et l'enseignant disposent d'un jeu de grilles.

— Fixer périodiquement des moments pour l'observation qui peut se faire de différentes façons. L'enseignant et les apprenants remplissent une ou plusieurs grilles individuellement après un certain temps d'enseignement/apprentissage. Un groupe d'apprenants observe pendant une durée déterminée les actions de l'enseignant. Un apprenant est chargé de noter ce que fait un autre apprenant...

— On peut enregistrer sur magnétophone ou vidéo certains moments d'enseignement/apprentissage. Pour l'analyse de l'enregistrement, répartir les tâches : un groupe d'apprenants relève le temps de parole de l'enseignant, d'autres le nombre d'apprenants qui ont parlé, le nombre de questions qu'a posées l'enseignant...

— Les apprenants tiennent individuellement un journal de bord de leur apprentissage dans lequel ils décrivent leurs impressions, leurs difficultés, leurs expériences. Pour faciliter la rédaction, choisir des têtes de chapitre : « ce que j'ai fait en classe, en dehors de la classe », « comment je vois l'enseignant et mes collègues », « ce que j'aimerais faire »... (cf. Schärer 1983).

— Sous forme de *brainstorming,* la classe dresse une liste de toutes les actions imaginables, sans aucune censure, pour apprendre et enseigner une langue étrangère.

— ...

Références pour négocier lors d'une observation d'actions

Nous n'insisterons jamais assez sur le fait que l'enseignement n'implique pas l'apprentissage. Il n'y a pas nécessairement de relation directe entre l'un et l'autre. Et l'on peut considérer que l'apprenant, pour apprendre, doit négocier ses actions avec celles de l'enseignant qui, à son tour, les négocie avec l'apprenant pour enseigner. Ce n'est que lorsque cette négociation aboutit à un accord, ou du moins à un compromis, que l'enseignement produit de l'apprentissage.

A. Objet de la négociation

Sur quoi va porter la négociation ?

1. Sur des actions d'apprentissage : les apprenants proposent d'écouter de temps en temps la radio en langue étrangère pour s'entraîner à la compréhension orale ; l'enseignant suggère d'aller plus souvent au laboratoire...

2. Sur des actions d'enseignement : les apprenants demandent à l'enseignant de leur donner plus d'informations sur ce qu'il compte faire pour les préparer à un examen ; ils le prient de les corriger avec plus d'estime ; l'enseignant propose d'expliquer une seconde fois un texte difficile...

3. Sur les pratiques mêmes d'observation : l'enseignant soumet aux apprenants le projet de tenir un journal de bord de leur apprentissage ; les apprenants désirent enregistrer ce qu'ils disent pendant un moment de discussion...

B. Démarches de négociation

Cf. Identification des besoins langagiers.

C. Partenaires

Idem.

Pratiques de négociation en rapport avec les actions

Les pratiques de négociation ont pour fonction de servir de supports à des activités d'enseignement/apprentissage d'une langue étrangère pour régler les interactions entre les partenaires et prendre des décisions au sujet des actions d'enseignement et d'apprentissage (*utiliser la langue étrangère pour mieux jouer son rôle d'apprenant ou d'enseignant dans un environnement d'enseignement/apprentissage*).

L'application de toutes ces pratiques dépend toujours des situations pédagogiques. Elles doivent être adaptées selon l'âge, le niveau, le nombre des apprenants et selon les conditions institutionnelles. Il appartient aux partenaires de les inventer ensemble en fonction de leurs possibilités et des catégories de références qu'ils se sont choisies. Elles ne sont ici que suggérées.

— Les observations relevées dans les grilles sont discutées et des changements portant sur des actions futures d'enseignement et/ou d'apprentissage sont proposées. Les décisions peuvent faire l'objet d'un contrat.

— Le contenu du journal de bord est discuté et corrigé périodiquement avec chaque apprenant individuellement. Certaines remarques ou impressions personnelles peuvent être présentées à la classe et aboutir à des décisions de changements d'actions.

— L'enseignant peut aussi provoquer une situation de négociation en demandant aux apprenants de faire quelque chose de trop difficile. Il attend leurs protestations et engage alors les démarches de négociation.

— L'enseignant ou les apprenants estiment que les pratiques d'observation/description, notamment les grilles, sont autant de moyens de contrôle intolérables qui gênent le développement naturel et spontané des actions d'enseignement et d'apprentissage. La négociation s'engage pour les abandonner ou les modifier.

— ...

4.3.4. L'évaluation des résultats

Références pour évaluer et comparer des résultats

Les résultats peuvent être jugés immédiatement après que l'action est terminée ou après un certain temps. L'évaluation peut prendre les formes les plus diverses, des tests objectifs qui fournissent des données précises et quantifiables au jugement vague et subjectif. Quand elle est interne, c'est l'acteur lui-même qui évalue les résultats de sa propre action ; elle est externe quand c'est une autre personne.

A. Évaluation interne

1. Quand a lieu l'évaluation ?
a) Au début d'un cours (ensemble d'actions qui se sont passées plus ou moins longtemps avant l'évaluation).
b) Pendant le cours *(id.)*.
c) A la fin d'un cours *(id.)*.
d) Immédiatement après une action ou un ensemble d'actions.
e) Une fois.
f) Plusieurs fois.
g) ...

2. Les résultats de quelles actions sont-ils évalués ?

2.1. Apprentissage
a) Écouter.
b) Parler.
c) Lire.
d) Écrire.
e) Autres actions.

2.2. Enseignement
a) Gérer l'enseignement/apprentissage.
b) Transmettre des contenus.
c) Évaluer l'apprentissage.
d) ...

3. Quels contenus sont évalués ?
a) Domaine linguistique.
b) Domaine psycho-pédagogique.
c) Domaine sociologique.

4. Quels sont les critères d'évaluation ?
a) Subjectifs : impression générale...
b) Objectifs : résultats mesurables...
c) L'individu évalue ses résultats sans l'aide d'outils externes.
d) L'individu évalue ses résultats à l'aide d'outils externes : questionnaires d'auto-évaluation, échelles d'attitude, tests auto-correctifs...
e) ...

5. Quelles sont les références de comparaison ?
a) L'individu compare les résultats de son action avec ceux d'un ou plusieurs apprenants.
b) Il les compare avec la représentation qu'il se fait des résultats à atteindre.
c) Il les compare avec les objectifs.
d) Il les compare avec des normes rigoureuses.
e) Il les compare avec des modèles vagues.
f) ...

B. Évaluation externe

1. Qui évalue qui ?
a) L'enseignant évalue un apprenant, un groupe d'apprenants, toute la classe.
b) L'apprenant évalue l'enseignant, un autre apprenant, un groupe d'apprenants, toute la classe.
c) Une personne extérieure à la classe évalue la classe, un apprenant, l'enseignant.
d) ...

2. Moment de l'évaluation
Cf. ci-dessus.

3. Les résultats de quelles actions sont-ils évalués ?
Cf. ci-dessus.

4. Quels contenus sont évalués ?
Cf. Ci-dessus.

5. Quels sont les critères d'évaluation ?
a) Subjectifs : impression générale...
b) Objectifs : résultats mesurables...
c) L'individu évalue les résultats d'une autre personne sans l'aide d'outils d'évaluation.
d) Il évalue les résultats d'une autre personne à l'aide d'outils d'évaluation : tests, examens, travaux notés...
e) types de ratification : notes, appréciation, certificat, diplôme...
f) ...

6. Quelles sont les références de comparaison ?
a) L'individu compare les résultats d'un autre avec ses propres résultats.
b) Il compare les résultats de deux ou plusieurs autres personnes.
c) Cf. ci-dessus à partir de b).

Pratiques pour évaluer des résultats

Les pratiques d'évaluation ont pour fonction de servir de supports à des activités d'enseignement/apprentissage d'une langue étrangère pour apprendre à comparer des résultats à l'aide de différents types d'évaluation (*utiliser la langue étrangère dans un environnement d'enseignement/apprentissage pour s'y situer*).

Par rapport à la distinction que l'on fait entre évaluation « sommative » et évaluation « formative », ces pratiques appartiennent plutôt à la seconde catégorie.

— Compléter le tableau de bord par une grille pour le jugement plus ou moins subjectif des actions observées. Choisir des critères et des échelles d'évaluation : intéressant-ennuyeux / utile-inutile / suffisant-insuffisant / + - = - –, 1 très bon / 2 bon / 3 moyen / 4 mauvais / 5 très mauvais...

— Introduire dans le journal de bord des apprenants une rubrique pour juger une action précise, des attitudes...

— Afficher un journal sur lequel les apprenants et l'enseignant écrivent librement leurs impressions, leurs jugements, leurs critiques sur n'importe quel aspect de la réalisation du projet.

— Choisir des outils d'évaluation mesurable correspondant aux objectifs : tests à choix multiples, cloze tests, dictées, exercices lacunaires...

— ...

Références pour négocier lors d'une évaluation des résultats

Dans une situation d'enseignement/apprentissage, tout ce que font les individus est constamment jugé. Les résultats des actions de l'apprenant sont évalués immédiatement ou après un certain temps par l'enseignant qui corrige, approuve, désapprouve, donne des notes. Mais ils le sont aussi par les autres apprenants dont le jugement peut se traduire par la moquerie, la jalousie. Les résultats des actions de l'enseignant sont évalués par les apprenants en fonction de leur plaisir ou ennui, de leur difficulté ou facilité à apprendre ainsi que de la réussite ou l'échec de leurs actions. Les uns et les autres ont de plus une représentation personnelle de la valeur de ce qu'ils font. Les partenaires sont ainsi confrontés à différents types d'évaluation qu'ils vont devoir négocier pour acquérir et entretenir l'assurance nécessaire à toute action d'enseignement et d'apprentissage.

A. Objet de la négociation

Sur quoi va porter la négociation ?

1. Sur l'évaluation interne : un apprenant trouve que la note que lui a donnée l'enseignant pour une interrogation orale ne correspond pas à ce qu'il mérite ; les apprenants demandent à l'enseignant de répéter une explication, celui-ci la refuse, parce qu'elle était suffisante...
2. Sur l'évaluation externe : les apprenants demandent à l'enseignant de retarder d'une semaine un travail noté ; ils estiment que les contenus d'un examen ne correspondent pas à ceux des objectifs...
3. Sur les pratiques mêmes d'évaluation : un apprenant se plaint d'être l'objet des moqueries constantes de ses camarades ; les tests à choix multiples sont trop simples ; l'enseignant ne devrait pas toujours tout corriger pendant les discussions...

B. Démarches de négociation
Cf. Identification des besoins langagiers.

C. Partenaires
Idem.

Pratiques de négociation en rapport avec les résultats

Les pratiques de négociation ont pour fonction de servir de supports à des activités d'enseignement/apprentissage d'une langue étrangère pour s'habituer à se juger et à être jugé et pour prendre des décisions concernant l'évaluation interne et externe (*utiliser la langue étrangère dans un environnement d'enseignement/apprentissage pour devenir autonome*).

La négociation est pratiquée naturellement lors des entretiens que peut avoir l'enseignant avec les apprenants. Les quelques exemples de pratiques suggérés ici n'ont d'autre but que de lui donner des contenus et des formes mieux précisés en fonction de certaines activités d'enseignement/apprentissage.

— Immédiatement après une évaluation, l'enseignant demande aux apprenants d'évaluer eux-mêmes leur travail en se donnant une note qui sera ensuite discutée et comparée avec celle de l'enseignant.

— Par rapport à des modes d'évaluation imposés par un examen officiel, inventer et discuter d'autres façons d'évaluer les contenus.

— L'enseignant peut provoquer une situation de négociation en évaluant trop sévèrement un travail.

— Les inscriptions du journal mural peuvent faire l'objet de discussions, et des changements touchant l'un ou l'autre aspect du déroulement du projet peuvent être décidés.

— ...

Nous avons intentionnellement laissé ces références et pratiques à l'état d'ébauches. L'utilisation des instruments de négociation dépend trop de la situation des partenaires pour pouvoir être décrite de façon achevée. Une pédagogie telle que nous la concevons doit être inventée à chaque fois par ceux qui la pratiquent. Nous avons tenté d'indiquer dans quelles conditions et à l'aide de quels moyens cette invention peut être possible. Mais ce ne sont que des points de repère pour aider l'enseignant et l'apprenant à trouver ensemble leurs propres voies.

5. Conclusions
ou les doubles contraintes

Lorsqu'on cherche à définir le rôle des objectifs d'apprentissage et des besoins langagiers dans une approche systémique de l'enseignement des langues vivantes et dans une pédagogie de la négociation, on se trouve souvent dans une situation proche de celle appelée «de double contrainte». Cette expression fait référence à une théorie développée par Bateson et, entre autres, certains chercheurs du Mental Research Institute de Palo Alto, pour décrire, spécifiquement, la schizophrénie ou, plus généralement, le fonctionnement paradoxal de la communication et de l'interaction entre les êtres humains (Watzlawick 1972, Watzlawick et Weakland 1981, Winkin 1981). Par exemple, lorsque quelqu'un doit obéir à un ordre comme le suivant: «"Soyez spontané", c'est-à-dire un ordre exigeant un comportement qui, de par sa nature, ne peut être que spontané, mais justement ne peut plus être spontané quand il résulte d'un ordre» (Watzlawick *et al.* 1981, 84), il est enfermé dans un dilemme dont il ne peut sortir, quelle que soit sa décision. Les relations entre enseignant et apprenant sont fréquemment empreintes de ce type de paradoxe.

Nous avons maintes fois insisté sur le fait qu'enseigner et apprendre une langue, c'est faire des choix, c'est prendre des décisions pour résoudre un problème. Mais lorsqu'on veut donner à l'enseignant et à l'apprenant les moyens de choisir et de décider ensemble, par le truchement d'activités pédagogiques, ce qu'ils vont faire pour réaliser leur projet dans un environnement institutionnel donné, on se heurte à des contradictions dont certaines peuvent être ressenties comme des doubles contraintes. Une pédagogie de la négociation fondée sur la communication langagière et les interactions entre les composantes des systèmes d'enseignement/apprentissage doit les comprendre et les assumer. Elles sont apparues tout au long de notre étude par rapport aux principaux thèmes traités.

Les objectifs

— Pour gérer avec efficacité les systèmes d'enseignement/apprentissage, il est nécessaire de déterminer avec précision les objectifs pour les rendre opérationnels. Mais plus ils sont précis plus leur contenu est limité. Ils peuvent également devenir un carcan et empêcher l'enseignement et l'apprentissage de se développer naturellement. En revanche, le manque d'objectifs ou une détermination vague peuvent conduire à la gabegie.

— Un projet d'enseignement/apprentissage doit avoir des objectifs fixés d'avance, qui, néanmoins, peuvent se révéler en cours de réalisation mal choisis ou périmés. Il faut donc pouvoir les modifier. Toutefois un changement fréquent d'objectifs risque de perturber l'accomplissement du projet.

— On est le plus souvent obligé d'atteindre le plus rapidement possible, par le chemin le plus direct, les objectifs fixés par le programme. Il faudrait pourtant avoir l'occasion de s'attarder, chercher, exploiter l'imprévu. Mais l'errance, si elle est enrichissante, est un luxe qui fait perdre du temps.

— La détermination d'un objectif implique celle des moyens d'évaluer comment il sera atteint, par quelles actions, avec quels résultats. En s'obligeant à ne retenir que les objectifs strictement évaluables, on ignore ceux qui sont plus fondamentaux et riches, mais incontrôlables, parce que formulés en des termes vagues. De plus, ces derniers peuvent être également irréalistes.

Les besoins

— La notion de besoin est ambiguë, insaisissable. Il faudrait lui donner un sens univoque, avec le résultat qu'elle perdrait sa richesse d'interprétation qui peut être utile pour caractériser certains aspects du centrage de l'enseignement sur l'apprenant.

— Pour assurer ce centrage, il est nécessaire d'identifier avec le plus d'exactitude possible les besoins des apprenants. Mais comme chaque individu interprète différemment ses relations avec son environnement, il devient impossible de prendre réellement en compte les besoins de chacun. Ils sont pourtant la référence fondamentale pour adapter un enseignement aux possibilités et nécessités des apprenants.

— L'identification des besoins langagiers consiste à recueillir et traiter des informations sur ce que l'enseignant et les apprenants jugent nécessaire pour concevoir et régler leurs interactions avec les environnements d'enseignement/apprentissage et d'utilisation de la langue étrangère. Plus ces informations sont exactes et complètes, mieux les besoins langagiers sont identifiés. Lorsqu'on cherche à leur donner un statut spécifique pour les exprimer, on les confond avec les objectifs qui, eux, se confondent avec les contenus. Mais si ceux-ci veulent être adaptés aux conditions d'apprentissage des apprenants, ils doivent être construits à partir des besoins identifiés.

— L'opération d'identification est généralement menée par des spécialistes pour des institutions. Les techniques utilisées, d'un maniement compliqué, permettent de recueillir toutes les informations pertinentes recherchées ; mais elles correspondent trop souvent à l'interprétation des spécialistes plutôt qu'à celle des individus concernés. L'identification sert ainsi à imposer technocratiquement des objectifs et des contenus. L'apprenant est dépossédé de ses besoins. S'il tente de les identifier lui-même, à l'aide de moyens à sa portée, les informations obtenues peuvent ne pas avoir de valeur significative.

Les contenus

— La réussite ou l'échec d'un enseignement/apprentissage dépendent non seulement des contenus, mais surtout de la qualité et de l'efficacité des interactions entre enseignant, apprenants et environnement. Pourtant, apprendre une langue étrangère, c'est d'abord acquérir de nouveaux savoirs, savoir-faire et comportements, donc des contenus.

— Comme on ne peut pas apprendre une langue d'un seul coup, il faut limiter et fragmenter les contenus en unités temporelles progressives en fonction des besoins des apprenants et des conditions de réalisation des projets. Ces contenus prévus et définis à l'avance ne permettent souvent pas de prendre en considération l'imprévu des situations de communication. Pourtant, l'aptitude à faire face à l'imprévisible est une des composantes de la compétence de communication.

— Il est par conséquent indispensable que l'apprenant puisse avoir recours à des stratégies d'apprentissage et de communication qui l'aident, d'une part, à apprendre plus ou autre chose que ce qui figure dans les contenus, et, d'autre part, à se débrouiller dans n'importe quelle situation de communication. Mais si ces stratégies sont enseignées comme des contenus, elles seront, à leur tour, insuffisantes. De plus, la pédagogie appliquée peut aller à l'encontre de leur acquisition et utilisation effectives.

— La détermination des objectifs, l'identification des besoins et la définition des contenus se réfèrent aux trois mêmes domaines inséparables : la linguistique, la psychologie, la sociologie. La correspondance idéale, mais impossible, entre les besoins, les objectifs et les contenus devrait se retrouver entre les trois domaines. On est pourtant contraint de les séparer et, par là, de privilégier l'un ou l'autre dès qu'on définit des contenus et les pratiques pédagogiques nécessaires à leur acquisition conditionnée par le temps.

La négociation

— L'enseignant a, entre autres avantages sur l'apprenant, celui de mieux savoir la langue étrangère. Il sera donc meilleur négociateur. La négociation peut devenir un moyen supplémentaire d'imposer, sous le couvert de compromis, un enseignement.

— Une des finalités d'une pédagogie de la négociation est de rendre l'apprenant autonome, c'est-à-dire de lui apprendre à faire des choix et à gérer son apprentissage. Mais toute une série de décisions lui échappent parce qu'elles ont été prises avant qu'il puisse intervenir ou parce que les contraintes institutionnelles interdisent de les remettre en cause. L'exercice de son autonomie est donc entravé par des choix et des décisions sur lesquels il n'a aucun pouvoir et qui peuvent même nuire à son apprentissage.

— Les relations entre partenaires d'un projet devraient être naturellement et constamment négociées, sans qu'il y paraisse. Une pédagogie de la négociation favorise le recours spontané à l'improvisation, l'imagination, la découverte, l'errance. Pratiquée à des moments réservés, à l'aide d'instruments fabriqués, en suivant des démarches prédéterminées, la négociation ne sert plus à régler naturellement les interactions entre les composantes des systèmes d'enseignement/apprentissage. Elle devient un gadget didactique artificiel qui donne l'illusion que la langue est utilisée dans une situation de communication authentique. Mais une pédagogie de la négociation ne peut être appliquée que si l'on en connaît les conditions et moyens.

— La plupart des programmes en vigueur dans les institutions de formation sont soumis à des contraintes de temps. Il faut acquérir le maximum de savoir le plus rapidement possible. Une pédagogie de la négociation axée non sur les contenus mais sur les relations entre partenaires d'un projet d'enseignement/apprentissage est un luxe que seules quelques institutions privilégiées peuvent se payer. Elle devrait pourtant être applicable par n'importe qui dans n'importe quel système.

Les instruments de négociation

— On ne peut identifier des besoins langagiers, déterminer des objectifs d'apprentissage, observer des actions d'enseignement ou d'apprentissage, évaluer de façon interne ou externe des résultats sans se référer à des données qu'il convient de classer en catégories. Le choix des références dépend de la manière d'utiliser les instruments de négociation dans une situation pédagogique particulière. Un cadre de références prédéterminé est rarement adapté aux besoins de l'utilisateur : il est soit incomplet, soit trop détaillé, soit impropre, parce que proposant de mauvaises catégories. Il est néanmoins indispensable, ne serait-ce que pour le transformer en cours d'utilisation.

— Les pratiques d'identification des besoins, de détermination des objectifs, d'observation des actions et d'évaluation des résultats servent, en général, à décrire, scientifiquement, certains aspects de l'enseignement et de l'apprentissage des langues vivantes. Dans ce cas, elles sont compliquées et leur utilisation est réservée aux spécialistes. Elles peuvent être simplifiées et perverties pour devenir des supports à des activités pédagogiques à la portée de n'importe quel enseignant et apprenant. Elles perdent dès lors tout caractère scientifique.

— Elles ne peuvent être appliquées que séparément, à certains moments et en plus de l'acquisition normale des contenus. Ce n'est toutefois que par leur emploi régulier et complémentaire qu'une pédagogie de la négociation prend toute sa réalité.

— Les instrument de négociation devraient pouvoir être utilisés facilement dans n'importe quel système d'enseignement/apprentissage d'une langue étrangère. L'ensemble des cadres de références et des pratiques, par leur complémentarité, constitue néanmoins un appareil assez lourd à manier.

On pourrait conclure de cette énumération d'ambiguïtés et de contradictions qu'une pédagogie de la négociation consisterait à dire à l'enseignant : « Soyez spontané et improvisez », à l'apprenant : « Soyez autonome et débrouillez-vous », aux deux : « Soyez naturels et négociez » ! Les théoriciens de la double contrainte ont montré que celle-ci était aussi source de créativité. Devant choisir entre deux décisions contradictoires qui s'excluent, l'individu crée une nouvelle situation dans laquelle il assume, en connaissance de cause, ou exclut la contradiction que sa décision implique. Le choix qui lui paraît d'abord impossible lui donne ensuite la force et le courage d'inventer une solution originale. Mais personne ne peut le faire à sa place. De façon identique, ce sont les paradoxes mêmes de la négociation pratiquée dans le cadre d'un projet d'enseignement/apprentissage qui rendent la pédagogie créatrice. Enseignant et apprenants, placés devant les ambiguïtés de leurs relations et celles de la communication langagière (ne parle-t-on pas d'incommunicabilité entre les êtres humains ?), sont amenés à découvrir et à choisir ensemble les moyens de réaliser leur projet. Personne ne peut les inventer à leur place. Une pédagogie de la négociation, en les aidant à mieux se connaître pour mieux agir ensemble, favorise cette invention. Mais toute invention comporte des risques, ouvre d'autres horizons, suscite de nouvelles questions. C'est la raison pour laquelle une telle pédagogie ne peut pas donner de réponses définitives à tous les problèmes que posent l'enseignement et l'apprentissage d'une langue vivante. Et, plus modeste que le peintre qui déclarait péremptoirement : « Moi, je ne cherche pas, je trouve », nous devons accepter de chercher, chercher encore.

Annexe

Composantes des niveaux-seuils

The Threshold Level	Un niveau-seuil	Kontaktschwelle
Class of Learners "1. they will be temporary visitors to the foreign country (especially tourists): or 2. they will have temporary contacts with foreigners in their own country; 3. their contacts with foreign-language speakers will, on the whole, be of a superficial, non-professional type; 4. they will primarly need only a basic level of command of the foreign language" (14).	*Publics pour un niveau-seuil* « — des touristes, voyageurs ; — les travailleurs migrants et leurs familles ; — des spécialistes et professionnels ayant besoin d'une langue étrangère mais restant dans leurs pays d'origine ; des adolescents en système scolaire ; — de grands adolescents et de jeunes adultes en situation scolaire ou universitaire » (47).	*Die Zielgruppe* „Zur Zielgruppe gehören Erwachsene, — die für kürzere Aufenthalte in deutschsprachige Länder oder Regionen reisen und sich dort im Kontakt mit deutschsprechenden Muttersprachlern in nicht berufsspezifischen Situationen verständigen wollen und/oder — die im eigenen Land oder in Drittländern gelegentliche, nicht berufsspezifische Kontakte mit Deutschsprechenden (Muttersprachlern/ Nichtmuttersprachlern) haben oder haben wollen" (13).
Specification of situations Social roles Psychological roles Settings 1. Geographical location 2. Place 3. Surroundings (human) Topics 1. Personal identification 2. House and home 3. Trade, profession, occupation 4. Free time, entertainment 5. Travel 6. Relation with other people 7. Health and welfare 8. Education 9. Shopping 10. Food and drink 11. Services 12. Places 13. Foreign language 14. Weather	*Les composantes d'une situation de communication en face à face et le fonctionnement du langage. Un exemple : la poste* 1. Aspects socioculturels 1.1. le lieu 1.2. les circonstances 1.3. le domaine de référence 1.4. le statut social des interlocuteurs 1.5. la nature de l'acte d'énonciation 1.6. encodage et contexte socioculturel 2. Aspects psycholinguistiques 2.1. finalité de la prise de parole 2.2. degré d'implication de la prise de parole 2.3. rôles réciproques	*Soziale Domänen (Schwerpunkte)* — Freizeit (Bekanntschaften, Geselligkeit, kulturelles Leben) — Oeffentliche und private Dienstleistungsinstitutionen — Massenmedien (begrenzter Gebrauch) *Kommunikationspartner, Rollen und Beziehungen* 1. Identitätsmerkmale 2. Funktionsrollen 3. Affektive Einstellung 4. Bekanntschaftsgrad 5. Rangverhältnis

	Relations sociales et activité langagière — les relations familiales 1. statuts et rôles 2. intentions énonciatives 3. actes de paroles 4. situations de communication 5. champs de référence 6. notions — les relations professionnelles — les relations grégaires — les relations commerçantes et civiles — la fréquentation des médias	*Kommunikationsräume* „Von der Funktion der Orte aus können wir fragen, zur Erfüllung welcher Bedürfnisse sie bestimmt und geeignet sind. Grob lassen sich unterscheiden : — praktische, handlungsbezogene Bedürfnisse — kongnitive Bedürfnisse — Kontaktbedürfnisse" (19).
Language activities (Indications d'objectifs par rapport aux aptitudes) Exemple: "The learners will be able to understand: — the most likely answers to questions asked by themselves" (24-25).		*Kommunikationsformen (Medien und Fertigkeiten)* Mündliche Kommunikation Schriftliche Kommunikation Hörverständnis Sprechen Leseverständnis Schreiben
Language functions 1. Imparting and seeking factual information 2. Expressing and finding out intellectual attitudes 3. Expressing and finding out emotional attitudes 4. Expressing and finding out moral attitudes 5. Getting things done (suasion) 6. Socializing	*Actes de parole* 0. Intentions énonciatives 0.1. vis-à-vis de soi-même 0.2. vis-à-vis d'autrui 0.3. faire un implicite 0.4. échec et réussite de l'intention énonciative I. Actes d'ordre 1. donner des informations factuelles 2. réagir aux faits et aux événements 3. juger l'action accomplie par autrui 4. juger l'action accomplie par soi-même 5. proposer à autrui de faire soi-même 6. demander à autrui de faire soi-même 7. proposer à autrui de faire ensemble 8. proposer à autrui de faire lui-même 9. demander à autrui de faire lui-même 10. pragmatique 11. affectivité	*Sprechakte* 1. Sprechhandlungen, die zum Erwerb und zum Austausch von Sachinformationen dienen (z.B. identifizieren, ankündigen, Informationen erfragen) 2. Sprechhandlungen zum Ausdruck von Bewertungen und Stellungnahmen (z.B. Meinungen ausdrücken, loben, kritisieren, widersprechen) 3. Sprechhandlungen zum Ausdruck von spontanen Gefühlen und andauernden Emotionen (z.B. Freude, Unzufriedenheit, Sympathie ausdrücken) 4. Sprechandlungen zur Regulierung des Handelns in Bezug auf die Verwirklichung eigener, fremder oder gemeinsamer Interessen (z.B. bitten, erlauben, um Rat fragen, Hilfe anbieten) 5. Sprechhandlungen, mit denen in Erfüllung gesellschaftlicher Umgangsformen soziale Kontakte eingeleitet, stabilisiert oder beendigt werden (z.B. begrüssen, sich entschuldigen, Komplimente machen, sich verabschieden)

II. Actes d'ordre Actes non spécifiques 1. désapprouver l'expression 2. demander de se taire 3. demander de répéter 4. demander de paraphraser, d'expliciter 5. demander de préciser 6. demander raisons 7. demander conséquences 8. demander intentions énonciatives 9. interpréter énonciation Actes spécifiques 10. prendre acte 11. remercier 12. approuver énonciation 13. critiquer énonciation 14. désapprouver énonciation 15. approuver énoncé 16. critiquer énoncé 17. désapprouver énoncé 18. exprimer son ignorance 19. exprimer son indécision 20. accepter, promettre, faire soi-même 21. accepter qu'autrui fasse accepter de faire avec autrui 22. faire l'énonciation demandée 23. faire le contraire de l'énonciation demandée 24. refuser de faire soi-même 25. refuser de faire avec autrui 26. refuser qu'autrui fasse III. Actes sociaux 1. saluer 2. prendre congé 3. présenter quelqu'un 4. se présenter 5. présenter sa sympathie, ses condoléances 6. souhaiter quelque chose à quelqu'un 7. trinquer IV. Opérations discursives 1. aspect référentiel 2. aspect quantitatif 3. aspect métalinguistique 4. aspect correctif 5. aspect dialogué 6. aspect formel 7. aspect vocal	6. Sprechhandlungen, die sich auf die Ausführung oder Interpretation sprachlicher Handlungen beziehen und zur Sicherung der Verständigung dienen (z.B. sich korrigieren, um Wiederholung bitten, um Ausdruckshilfe bitten)

Topics: behavioural specifications
(reprise des "topics" mentionnés dans le chapitre "specification of situations" dont les différentes rubriques sont associées à la formulation d'un objectif)
Exemple:
"5. Travel
The learners should be able to deal with various aspects of travelling:
5.1. travel to work, evening-class, etc. say how they travel to work, evening-class, etc., what means of transport, ..." (31).

Objets et comportement

1. identification et caractérisation personnelles
2. maison et foyer
3. environnement géographique ; faune et flore ; climat et temps
4. voyages et déplacements
5. le gîte et le couvert : hôtel, restaurant, etc.
6. commerces et courses
7. services publics et privés
8. hygiène et santé
9. positions, perceptions, opérations physiques
10. profession, métier, occupation
11. loisirs, distractions, sports, information
12. relations électives ou associatives
13. actualité, vie politique, économique et sociale
14. éducation
15. langue étrangère (même principe que pour l'anglais)
Exemple :

« I.14. Éducation
Les apprenants devraient être capables de renseigner ou de se renseigner sur les points suivants :
I.14.1. École et études (éducation reçue, conditions d'apprentissage de la langue étrangère) » (316).

Themen

1. Personalien ; Informationen zur Person
2. Wohnen
3. Umwelt
4. Reisen und Verkehr
5. Verpflegung
6. Einkaufen und Gebrauchsartikel
7. Oeffentliche und private Dienstleistungen
8. Gesundheit und Hygiene
9. Wahrnehmung und Motorik
10. Arbeit und Beruf
11. Ausbildung
12. Fremdsprache
13. Freizeit und Unterhaltung
14. Persönliche Beziehungen und Kontakte
15. Aktualität ; Themen von allgemeinen Interesse

(même principe que pour l'anglais et le français)
Exemple :
„10. Arbeit und Beruf
Informationen austauschen über die berufliche Tätigkeit und die Arbeitsbedingungen ; sagen oder andere fragen :
10.1. Beruf was man von Beruf ist und welche Berufe man eventuell früher ausgeübt hat" (32).

General notions

1. Notions of entities
2. Notions of properties and qualities

2.1. existential
2.2. spatial and temporal
2.3. quantitative
2.4. qualitative
3. Notions of relations
3.1. spatial relations
3.2. temporal relations
3.3. action/event relations
3.4. contrastive relations
3.5. possessive relations
3.6. logical relations

Notions générales

1. Notions désignant des entités
2. Notions désignant des propriétés et qualités

2.1. existence
2.2. temps
2.3. espace
2.4. quantité
2.5. qualité
3. Notions de relations
3.1. relations dans le temps
3.2. relations dans l'espace
3.3. relations dans l'accomplissement d'une action
3.4. relations comparatives
3.5. relations de possession
3.6. relations logiques

Allgemeine Begriffe

1. Gegenstände
2. Existenz
3. Raum

3.1. Lage
3.2. Bewegung, Richtung
3.3. Dimension, Masse
4. Zeit
5. Quantität
6. Eigenschaften
6.1. Physische Eigenschaften
6.2. Personale Eigenschaften
6.3. Wertung
7. Relationen
7.1. Räumliche Beziehungen
7.2. Zeitliche Beziehungen
7.3. Handlungs-, Ereignisrelationen
7.4. Prädikation
7.5. Aehnlichkeitsbeziehungen
7.6. Zugehörigkeit
7.7. Konjunktion
7.8. Disjunktion
7.9. Inklusion/Exklusion
7.10. Opposition, Einschränkung
7.11. Kausalität : Grund, Ursache

		7.12. Kausalität : Folge, Wirkung 7.13. Zweck 7.14. Bedingungsverhältnis 7.15. Deduktion, Folge
Specific notions (topic-related) "For reasons of space, the list of specific notions is not présented in this chapter, but, together with the exponents for T-Level English, in Division III of chapter 11" (chapitre suivant) (41).	*Notions spécifiques* (Reprise des objets avec le détail des notions spécifiques correspondant à chaque catégorie et un choix de réalisations en français).	*Spezifische Begriffe* (Même principe que le niveau-seuil avec choix de réalisations en allemand).
Language forms Content specification: Division I Language functions with T-Level exponents for English. Content specification: Division II General notions with T-Level exponents for English. Content specification: Division III Notions derived from topics and their T-Level exponents for English.		
Degree of skill (Indications sur le niveau d'aptitude souhaité).		
Lexicon for T-Level English (Reprise des mots et expressions énumérés dans les listes précédentes, mais présentés par ordre alphabétique avec la mention P ("productive and receptive") ou R ("receptive").		*Alphabetische Wortliste* (Reprise des mots et expressions comme pour l'anglais).
Grammatical inventory of T-Level English (Inventaire alphabétique des problèmes grammaticaux)		
Grammatical summary I. Sentences types II. Verbs III. Nouns IV. Adjectives V. Adverbs VI. Articles VII. Pronouns (including pronominal adjectives) VIII. Numerals IX. Word order X. Word formation	*Grammaire* I. Actance 1. actance voix et déroulement 2. liste structurale des relations actancielles 3. syntaxe II. Détermination 1. détermination du procès 2. détermination des actants III. Formulation des relations logiques entre propositions 1. logique du raisonnement 2. logique modale ou subjective	*Grammatik-Inventar* 1. Text 2. Komplexer Satz 3. Einfacher Satz 4. Wortgruppen 5. Wortklassen 6. Wortbildung

Références bibliographiques

A ABBOU, A. (1980a). — « La didactique de IIIe génération », *Études de linguistique appliquée* n° 37, pp. 5-21.

ABBOU, A. (éd.) (1980b). — *Communications sociales et didactique des langues étrangères, Études de linguistique appliquée* n° 37.

ALBOU, P. (1968). — *Les questionnaires psychologiques,* Paris, P.U.F.

ALDERFER, C.-P. (1969). — « An Empirical Test of a New Theory of Human Needs », *Organizational Behavior and Human Performance* n° 4, pp. 142-175.

ALEXANDER, L.-G. (1967). — *First Things First. Teacher's Book,* Londres, Longmans.

ALEXANDER, L.-G. (1974). — *Mainline. Progress A and B. Teacher's Book,* Londres, Longmans.

ALEXANDRE, V. (1971). — *Les échelles d'attitude,* Paris, Éditions Universitaires.

ALLWRIGHT, D. (1983). — « Classroom-Centered Research on Language Teaching and Learning: A Brief Historical Overview », *TESOL Quarterly* n° 17, pp. 191-204.

ALLWRIGHT, R.-L. (1981). — « What Do We Want Teaching Materials for ? », *English Language Teaching Journal* n° 36/1, pp. 5-18.

B BACHMANN, C. et al. (1981). — *Langage et communications sociales,* Paris, CREDIF/Hatier.

BAILEY, K.-M. (1980). — « An Introspective Analysis of an Individual's Language Learning Experience », in SCARCELLA et KRASHEN (éds), pp. 58-65.

BALDEGGER, M. et al. (1980). — *Kontaktschwelle Deutsch als Fremdsprache,* Strasbourg, Conseil de l'Europe ; rééd. (1981) : Munich, Langenscheidt.

BANATHY, B.-H. et LANGE, D.-L. (1972). — *A Design for Foreign Language Curriculum,* Lexington, Heath.

BARBIER, J.-M. et LESNE, M. (1977). — *L'analyse des besoins en formation,* Champigny-sur-Marne, Robert Jauze.

BAUDRILLARD, J. (1976). — *Pour une critique de l'économie du signe,* Paris, Gallimard, Coll. Tel.

BENDER, J. (1979). — *Zum gegenwärtigen Stand der Diskussion um Sprachwissenschaft und Sprachunterricht,* Francfort, Diesterweg.

BESSE, H. (1980). — « La question fonctionnelle », in BESSE et GALISSON, pp. 30-144.

BESSE, H. et GALISSON, R. (1980). — *Polémique en didactique,* Paris, CLE International.

BESSON, M.-J. et al. (1979). — *Maîtrise du français,* Vevey, Delta ; Genève, L.E.P. ; Paris, Nathan.

BIALYSTOK, E. (1981). — « The Role of Conscious Strategies in Second Language Proficiency », *The Modern Language Journal* n° 65/1, pp. 24-35.

BIBEAU, G. (éd.) (1976). — *Rapport de l'étude indépendante sur les programmes de formation linguistique de la Fonction publique du Canada,* Ottawa, Les Programmes de formation linguistique de la Fonction publique du Canada, 13 vol.

BILLIEZ, J. et al. (1975). — *Étude de la demande de formation en langue étrangère de la population adulte de l'agglomération grenobloise,* Grenoble, Université des langues et lettres de Grenoble, ronéo, 2. vol.

BIRZEA, C. (1979). — *Rendre opérationnels les objectifs pédagogiques,* Paris, P.U.F.

BLOOM, B.-S. (éd.) (1956). — *Taxonomy of Educational Objectives. Handbook I: Cognitive Domain,* New York, David McKay.

BLOOM, B.S. et al. (éds) (1971). — *Handbook on Formative and Summative Evaluation of Student Learning,* New York, McGraw-Hill.

BOURDIEU, P. et PASSERON, J.-C. (1970). — *La reproduction,* Paris, Éditions de Minuit.

BREEN, M.-P. et CANDLIN, C.-N. (1980). — « The Essentials of a Communicative Curriculum in Language Teaching », *Applied Linguistics* n° 1/2, pp. 89-112.

BRÉMOND, J. et GELEDAN, A. (1981). — *Dictionnaire économique et social,* Paris, Hatier.

BRUMFIT, C.-J. et JOHNSON, K. (éds) (1979). — *The Communicative Approach to Language Teaching,* Oxford, Oxford University Press.

BRUMFIT, C.-J. (1981a). — « Linguistic Specifications for Fluency Work : How Meaningful a Question », in RICHTERICH et WIDDOWSON (éds), pp. 45-59.

BRUMFIT, C.-J. (1981b). — « Notional Syllabuses Revisited : A Response », *Applied Linguistics* n° 2/1, pp. 90-92.

BULLETIN OFFICIEL DU MINISTÈRE DE L'ÉDUCATION, DU MINISTÈRE DES UNIVERSITÉS ET DU MINISTÈRE DE LA JEUNESSE, DES SPORTS ET DES LOISIRS (1981). — *Programmes des classes de seconde des lycées,* Paris, C.N.D.P., 14 mai, n° spécial 3.

BUNG, K. (1973). — *La définition des objectifs dans un système d'apprentissage des langues par les adultes,* Strasbourg, Conseil de l'Europe, ronéo, p. 32.

BUROS, O.-K. (éd.) (1975). — *Foreign Language Tests and Reviews,* Highland Park, The Gryphon Press.

C

CANALE, M. et SWAIN, M. (1980). — « Theoretical Bases of Communicative Approaches to Second Language Teaching and Testing », *Applied Linguistics* n° 1/1, pp. 1-47.

CARROL, B.-J. (1980). — *Testing Communicative Performance,* Oxford, Pergamon Press.

CHANCEREL, J.-L. (1978). — *La construction des systèmes de formation par unités capitalisables,* Berne, Lang, 1978.

CHEVALIER, J.-C. (éd.) (1980). — *Pratique de la communication, Le Français dans le Monde* n° 153.

CHRIST, H. et al. (1979). — *Fremdsprachen in Handel und Industrie,* Augsburg, Universität Augsburg.

CLARK, J.-L. (1979). — « The Syllabus. What Should the Learner Learn ? », *Audio-Visual Language Journal* n° 17/2, pp. 99-108.

COHEN, A.-D. et HOSENFELD, C. (1981). — « Some Uses of Mentalistic Data in Second Language Research », *Language Learning* n° 31/2, pp. 285-313.

COMPAGNIE IBM FRANCE (1974). — *IBM Foreign Language. Level Rationale. Level Performance Charts,* Paris, Compagnie IBM France.

CONSEIL DE L'EUROPE (1981). — *Programme « langues vivantes » 1971-1981,* Strasbourg, Conseil de l'Europe.

COOPER, D. (1978). — *Le langage et la folie,* Paris, Seuil.

CORDER, S.-P. et ROULET, E. (éds) (1977). — *The Notions of Simplification, Interlanguages and Pidgins and their Relation to Second Language Pedagogy,* Genève, Librairie Droz ; Neuchâtel, Faculté des lettres.
CORDER, S.-P. (1981). — *Error Analysis and Interlanguage,* Oxford, Oxford University Press.
CORTÈS, J. et PELLAUMAIL, C. (éds) (1982). — *Environnement et enseignement du français, Le Français dans le Monde* n° 171.
COSTE, D. (1975). — «La méthodologie de l'enseignement des langues maternelle et seconde : état de la question», *Études de linguistique appliquée* n° 18, pp. 5-21.
COSTE, D. et FERENCZI, V. (éds) (1975). — *La notion de progression en didactique des langues, Études de linguistique appliquée* n° 16.
COSTE, D. et al. (1976). — *Un niveau-seuil,* Strasbourg, Conseil de l'Europe ; rééd. (1981) : Paris, Hatier.
COSTE, D. (1977). — «Analyse des besoins et enseignement des langues étrangères aux adultes : à propos de quelques enquêtes et de quelques programmes didactiques», *Études de linguistique appliquée* n° 27, pp. 57-77.
COSTE, D. (1979). — «L'écrit et les écrits : considérations didactiques», in MARTINS-BALTAR et al., pp. 75-117.
COSTE, D. (1981). — «Spéculations sur la relation langue décrite-langue enseignée en classe», in RICHTERICH et WIDDOWSON (éds), pp. 33-44.
COTIN, C. (1979). — *La ville,* Lisbonne, Plátano Editora.
COULTHARD, M. (1977). — *An Introduction to Discourse Analysis,* Londres, Longman.
CRÉDIF (1971). — *Bonjour Line I. Livre du maître,* Paris, Didier.
CURRAN, C. (1976). — *Counseling-Learning in Second Languages,* Apple, Apple River Press.

D

DABÈNE, L. et al. (1978). — «De l'analyse de la demande à l'élaboration méthodologique», *Etudes de linguistique appliquée* n° 29, pp. 67-81.
DALGALIAN, G. (1977). — *Essai de définition des motivations, attentes et besoins langagiers des élèves de l'Institut Français de Munich,* Munich, Institut Français, ronéo, 20 p.
DALGALIAN, G. (1979). — «Essai de description des publics des instituts français», *Le Français dans le Monde* n° 149, pp. 29-36.
DALGALIAN, G. et al. (1981). — *Pour un nouvel enseignement des langues,* Paris, CLE International.
DALGALIAN G. (1983). — «Identifying Needs in a Production-Training Situation», in RICHTERICH (éd.), pp. 117-126.
DALGALIAN, G. et al. (s.d.). — *Pour un nouvel enseignement des langues. Doctorat de troisième cycle. Notes et références,* Nancy, Université de Nancy II, ronéo, 61 p.
DANY, M. et al. (1977). — *Le français du secrétariat commercial,* Paris, Hachette.
DAVIES, A. (éd.) (1968). — *Language Testing Symposium. A Psycholinguistic Approach,* Oxford, Oxford University Press.
DAVIES, A. (1978). — «Language Testing», Survey Article, *Language Teaching and Linguistics : Abstracts* n° 11/3, pp. 145-159 ; n° 11/4, pp. 215-231.
DE ANGELIS et al. (1977). — *Pratiques langagières en niveau-seuil,* Bologne, Zanichelli.
DEBYSER, F. (1978). — «Peut-on accorder les besoins de l'étudiant avec ceux de son futur employeur ?», in FREUDENSTEIN (éd.), pp. 17-25.
DE GRÈVE, M. et al. (éds) (1973). — *Modern Language Teaching to Adults : Language for Special Purposes,* Bruxelles, AIMAV ; Paris, Didier.
D'HAINAUT, L. (1970). — «Un modèle pour la détermination et la sélection des objectifs pédagogiques du domaine cognitif», *Enseignement programmé* n° 11, pp. 21-38.

DE LANDSHEERE, G. (1970). — *Introduction à la recherche en éducation,* Paris, Colin-Bourrelier.

DE LANDSHEERE, V. et DE LANDSHEERE, G. (1975). — *Définir les objectifs de l'éducation,* Paris, P.U.F.

DE LANDSHEERE, G. (1979). — *Dictionnaire de l'évaluation et de la recherche en éducation,* Paris, P.U.F.

DEMUTH, C. et al. (1978). — *Description des publics d'adultes fréquentant les cours de français des Instituts,* s.l., Mission Culturelle Française en R.F.A., 78 p.

DÉPARTEMENT DE L'INSTRUCTION PUBLIQUE DU CANTON DE FRIBOURG (1977). — *Plan d'études. Cycle d'orientation,* Fribourg, Office cantonal du matériel scolaire.

DEUTSCHER VOLKSHOCHSCHUL-VERBAND (1977). — *Das VHS Zertifikat Französisch,* Bonn-Bad Godesberg, Deutscher Volkshochschul-Verband.

DIRECTION DE L'INSTRUCTION DU CANTON DE BERNE (1961). — *Plan d'études des écoles secondaires et progymnases de langue française,* Berne, Librairie de l'État.

DOMINICÉ, P. (1979). — *La formation, enjeu de l'évaluation,* Berne, Lang.

DUBOS, R. (1982). — *Les célébrations de la vie,* Paris, Stock.

DULAY, H.-C. et BURT, M.-K. (1974). — « Natural Sequences in Child Second Language Acquisition », *Language Learning* n° 24/1, pp. 37-53.

D'UNRUG, M.-C. (1974). — *Analyse de contenu et acte de parole,* Paris, Delarge.

DUPONT, J.-B. et al. (1979). — *La psychologie des intérêts,* Paris, P.U.F.

DÜWELL, H. (1979). — *Fremdsprachenunterricht im Schülerurteil,* Tübingen, Gunter Narr.

E

EMMANS, K. et al. (1974). — *The Use of Foreign Languages in the Private Section of Industry and Commerce,* York, Language Teaching Centre, University of York.

ENGLISH LANGUAGE TEACHING DEVELOPMENT UNIT (1975). — *English Language. Stages of Attainment Scale,* s.l. Oxford University Press, ronéo.

F

FEARCH, C. et KASPER, G. (éds) (1983). — *Strategies in Interlanguage Communication,* Londres, Longman.

FATHMAN, A. (1979). — « The Value of Morpheme Order Studies for Second Language Learning », *Working Papers on Bilingualism* n° 18, pp. 179-199.

FERGUSON, N. et O'REILLY, M. (1974). — *English by Objectives,* Genève, C.E.E.L.

FERGUSON, N. (1976). — *Language Learning by Objectives,* Genève, C.E.E.L.

FERGUSON, N. et al. (1978). — *Threshold Units,* Genève, C.E.E.L.

FINDLEY, C.-A. et NATHAN, L.-A. (1980). — « Functionnal Language Objectives in a Competency Based ESL Curriculum », *TESOL Quarterly* n° 14/2, pp. 221-231.

FLAHAULT, F. (1978). — *La parole intermédiaire,* Paris, Seuil.

FOULQUIÉ, P. (1971). — *Dictionnaire de la langue pédagogique,* Paris, P.U.F.

FREIE UND HANSESTADT HAMBURG. BEHÖRDE FÜR SCHULE, JUGEND UND BERUFSBILDUNG (1974). — *Richtlinien und Lehrpläne. Band IV. Oberstufe des Gymnasiums. 2. Teilband,* Regensburg, Georg Zwickenpflug.

FREIHOFF, R. et TAKALA, S. (1974). — *A Systematic Description of Language Teaching Objectives Based on the Specification of Language Use Situations.* Abridged Version, Jyväskylä, Language Centre, University of Jyväskylä, ronéo, 25 p.

FREUDENSTEIN, R. (éd.) (1978). — *Language Learning. Individual Needs; Interdisciplinary Co-operation; Bi-and Multilingualism,* Bruxelles, AIMAV/Didier.

FRIEDRICHS, J. (1973). — *Methoden empirischer Sozialforschung,* Reinbek, Rowohlt.

G

GALISSON, R. et COSTE, D. (1976). — *Dictionnaire de didactique des langues,* Paris, Hachette.

GALISSON, R. (1980a). — « ... S.O.S.... Didactique des langues étrangères en danger... Intendance ne suit plus... S.O.S.... », in BESSE et GALISSON, pp. 8-29.

GALISSON, R. (1980b). — *D'hier à aujourd'hui. La didactique générale des langues étrangères,* Paris, CLE International.

GALISSON, R. (éd.) (1980c). — *Lignes de force du renouveau actuel en didactique des langues étrangères,* Paris, CLE International.

GALLI DE'PARATESI, N. (1981). — *Livello soglia,* Strasbourg, Conseil de l'Europe.

GARDIN, J.-C. (1974). — *Les analyses de discours,* Neuchâtel, Delachaux et Niestlé.

GARDIN, J.-C. et al. (1981). — *La logique du plausible,* Paris, Éditions de la Maison des sciences de l'homme.

GARDNER, P.-H. et WINSLOW, J.-D. (1982). — *Language Needs in Higher Education,* s.l., SCHML.

GARDNER, P.-H. et WINSLOW, J.-D. (1983). — « Present and Proposed Methods of Determining the Needs of Students in Public Sector Higher Education », in RICHTERICH (éd.), pp. 69-78.

GARDNER, R.-C. et LAMBERT, W.-E. (1972). — *Attitudes and Motivation in Second Language Learning,* Rowley, Newbury House Publishers.

GARDNER, R.-C. (1980). — « On the Validity of Affective Variables in Second Language Acquisition : Conceptual, Contextual, and Statistical Considerations », *Language Learning* n° 30/2, pp. 255-270.

GATTEGNO, C. (1976). — *The Common Sense of Teaching Foreign Languages,* New York, Educational Solutions.

GHIGLIONE, R. et MATALON, B. (1978). — *Les enquêtes sociologiques,* Paris, Colin.

GOROSCH, M. (1973). — « On Defining Linguistic Objectives for the Teaching-Learning of Modern Languages for Adults », in DE GRÈVE et al. (éds), pp. 11-19.

GOUGENHEIM, G. et al. (1967). — *L'élaboration du français fondamental (1er degré),* Paris, Didier.

GRELLET, F. (1981). — *Developing Reading Skills,* Cambridge, Cambridge University Press.

H

HABERZETTL, H. et al. (1978). — *A bientôt 1,* Stuttgart, Klett.

HALLIDAY, M.-A.-K. (1970). — « Language Structure and Language Function », in LYONS, J. (éd.) : *New Horizons in Linguistics,* Harmondsworth, Penguin Books, pp. 140-165.

HAMELINE, D. (1979). — *Les objectifs pédagogiques en formation continue,* Paris, E.S.F. Entreprise moderne d'édition.

HARDING, A. et al. (1980). — *Graded Objectives in Modern Languages,* Londres, CILT.

HARDING, E. (1980). — *Stratégies de compensation,* Strasbourg, Conseil de l'Europe, ronéo, 42 p.

HAWKEY, R. et al. (1981). — « Analyse des besoins et établissement d'un programme pour un stage professionnel dans le cadre de l'Overseas Development Administration », *Études de Linguistique appliquée* n° 43, pp. 79-89.

HAWKEY, R. (1983). — « Programme Development for Learners of English for Vocational Purposes with Special Reference to British Council

Co-operation with the Polytechnic of Ciudad Guyana, Venezuela », in RICHTERICH (éd.), pp. 79-87.
HOADLEY-MAIDMENT, E. (1983). — « Methodology for Identification of Language Learning Needs of Immigrant Learners of English through Mother-Tongue Interviews », in RICHTERICH (éd.), pp. 39-57.
HOLEC, H. (1979). — « Prise en compte des besoins et apprentissage auto-dirigé », *Mélanges Pédagogiques CRAPEL,* pp. 49-64.
HOLEC, H. (1980). — *Autonomie et apprentissage des langues étrangères,* Strasbourg, Conseil de l'Europe ; rééd. (1981) ; Paris, Hatier.
HOLEC, H. (1981). — « L'autonomie de l'apprenant et l'apprentissage des langues », in CONSEIL DE L'EUROPE, pp. 72-81.
HONDRICH, K.-O. (1975). — *Menschliche Bedürfnisse und soziale Steuerung,* Reinbek, Rowohlt.
HUGHES, A. et PORTER, D. (éds) (1983). — *Current Developments in Language Testing,* Londres, Academic Press.

J JAKOBOVITS, L.-A. et GORDON, B. (1974). — *The Context of Foreign Language Teaching,* Rowley, Newbury House Publishers.
JAMES, C.-V. et ROUVE, S. (1973). — *Survey of Curricula and Performance in Modern Language 1971-1972,* Londres, CILT.
JAVEAU, C. (1978). — *L'enquête par questionnaire,* Bruxelles, Éditions de l'Université ; Paris, Les Éditions d'Organisation.
JOHNSON, K. (1982). — *Communicative Syllabus Design and Methodology,* Oxford, Pergamon Press.

K KASPER, G. (1982). — « Kommunikationsstrategien in der interimsprachlichen Produktion », *Die Neueren Sprachen* n° 81/6, pp. 578-600.
KOHN, R.-C. (1982). — *Les enjeux de l'observation,* Paris, P.U.F.
KOZDON, B. (éd.) (1981). — *Lernzielpädagogik - Fortschritt oder Sackgasse? Gegen das Monopol eines Didaktikkonzepts,* Bad Heilbrunn, Klinkhardt.
KRASHEN, S.D. (1981). — *Second Language Acquisition and Second Language Teaching,* Oxford, Pergamon Press.
KRATHWOHL, D.-R. et al. (1964). — *Taxonomy of Educational Objectives. The Classification of Educational Goals. Handbook II: Affective Domain,* New York, David McKay.
KRUMM, H.-J. (1974). — *Analyse und Training fremdsprachlichen Lehrerhaltens,* Weinheim, Beltz.

L LACAN, J. (1966). — *Écrits,* Paris, Seuil.
LADO, R. (1961). — *Language Testing,* Londres, Longman.
LADOUSSE, G.-P. (1983). — *Speaking Personally,* Cambridge, Cambridge University Press.
LAMÉRAND, R. (1969). — *Théories d'enseignement programmé et laboratoires de langues,* Paris, Nathan ; Bruxelles, Labor.
LARSEN-FREEMAN, D. (1976). — « An Explanation for the Morpheme Acquisition Orders of Second Language Learners », *Language Learning* n° 26/1, pp. 125-134.
LEE, E.-V. (1977). — « Non-Specialist Use of Foreign Languages in Industry and Commerce », *Audio-Visual Language Journal* n° 15/3, pp. 223-231.
LEECH, G.-N. et SVARTVIK, J. (1975). — *A Communicative Grammar of English,* Londres, Longman.
LE NY, J.-F. (1972). — *Le conditionnement et l'apprentissage,* Paris, P.U.F.
LÉVY, B.-H. (1977). — *La barbarie à visage humain,* Paris, Grasset.
LOESER, O. (1980). — *Interaktionsanalyse im Unterricht: Ansätze zur systematischen Selbstbeobachtung,* Berne, Lang.
LOHÉZIC, B. et PÉRUSAT, J.-M. (1979). — « Élaboration d'unités capitalisables en fonction d'un niveau-seuil », *Le Français dans le Monde* n° 149, pp. 68-73.

LONG, M. (1980). — «Inside the Black Box: Methodological Issues in Classroom Research on Language Learning», *Language Learning* n° 30/1, pp. 1-42.

LOOMS, P.-O. (1983). — «A Re-examination of Foreign Language Teaching Provisions in Denmark», in RICHTERICH (éd.), pp. 60-78.

LÖRSCHER, W. (1983). — *Linguistiche Beschreibung und Analyse von Fremdsprachenunterricht,* Tübingen, Gunter Narr.

M MAGER, R.-F. (1962). — *Preparing Instructional Objectives,* Belmont, Fearon Publishers.

MAIR, W.N. et METER, H. (1981). — *Fremdsprachenunterricht - Wozu?,* Tübingen, Gunter Narr.

MALENFANT-LOISELLE, L. et JONES, J.-M. (1978). — *Recherche des centres d'intérêts et des besoins langagiers des élèves de 9 à 11 ans en vue de l'élaboration du programme d'anglais, langue seconde, niveau primaire,* Québec, L'éditeur officiel du Québec.

MARIET, F. (1977). — «A propos d'une typologie des objectifs possibles d'un enseignement du français aux adultes en formation», *Langue française* n° 36, pp. 4-13.

MARTINS-BALTAR, M. et al. (1978). — *L'écrit et les écrits: problèmes d'analyse et considérations didactiques,* Strasbourg, Conseil de l'Europe ; rééd. (1981) : Paris, Hatier.

MARTINS-BALTAR, M. (1980). — *La notion de besoin dans une sémantique de l'action,* Saint-Cloud, École Normale Supérieure, CREDIF, ronéo, 84 p.

MASLOW, A.-H. (1970). — *Motivation and Personality,* New York, Harper and Row, 2e éd.

McASHAN, H.-H. (1974). — *The Goals Approach to Performance Objectives,* Philadelphie, W.B. Saunders Co.

McLAUGHIN, B. (1980). — «Theory and Research in Second Language Learning: An Emerging Paradigm», *Language Learning* n° 30/2, pp. 331-350.

MIALARET, G. (1979). — *Vocabulaire de l'éducation,* Paris, P.U.F.

MOGET, M.-T. (1972). — *De vive voix. Livre du maître,* Paris, CREDIF/ Didier.

MOIRAND, S. (1982). — *Enseigner à communiquer en langue étrangère,* Paris, Hachette.

MONTREDON, J. et al. (1976). — *C'est le printemps 1. Livre du professeur,* Paris, CLE International.

MORROW, K. (1979). — «Communicative Language Testing: Revolution or Evolution», in BRUMFIT et JOHNSON (éds), pp. 143-157.

MOSKOWITZ, G. (1971). — «Interaction Analysis — A New Modern Language to Supervisors», *Foreign Language Annals* n° 5, pp. 211-221.

MOTHE, J.-C. (éd.) (1981). — *L'évaluation, Le Français dans le Monde* n° 165.

MUNBY, J. (1978). — *Communicatives Syllabus Design,* Cambridge, Cambridge University Press.

N NADEAU, M.-A. (1975). — *Mesure et évaluation des objectifs pédagogiques,* Québec, Les Éditions Saint-Yves.

NUTTIN, J. (1975). — «La motivation», in FRAISSE, G. et PIAGET, J. (éds) : *Traité de psychologie expérimentale V. Motivation, émotion et personnalité,* Paris, P.U.F., pp. 5-96.

NUTTIN, J. (1980). — *Théorie de la motivation humaine,* Paris, P.U.F.

O OESTERREICHISCHES STATISTISCHES ZENTRALAMT (1976). — *Fremdsprachenkenntnisse der österreichischen Bevölkerung. Ergebnisse des*

Mikrozensus Dezember 1974, Vienne, Beiträge zur Oesterreichischen Statistik, Heft 430.

OLLER, J.-W. (1979). — *Language Tests at School,* Londres, Longman.

OLLER, J.-W. (éd.) (1983). — *Issues in Language Testing Research,* Rowley, Newbury House Publishers.

OSKARSSON, M. (1978). — *Approaches to Self-Assessment in Foreign Language Learning,* Strasbourg, Conseil de l'Europe ; rééd. (1980) : Oxford, Pergamon Press.

OUD DE GLAS, M. (1979). — « Les besoins langagiers aux Pays-Bas, compte rendu d'un projet de recherche », *Études de linguistique appliquée* n° 33, pp. 86-93.

OXFORDSHIRE MODERN LANGUAGE ADVISORY COMMITTEE (1978). — *New Objectives in Modern Language Teaching. Defined Syllabuses and Tests in French and German,* Dunton Green, Holder and Stoughton.

P

PAULSTON, C.-B. (1981). — « Notional Syllabuses Revisited : Some Comments », *Applied Linguistics* n° 2/1, pp. 93-95.

PELFRÊNE, A. et PORCHER, L. (éds) (1976). — *Analyses de besoins langagiers d'adultes en milieu professionnel (Préalables à une formation),* Saint-Cloud, CREDIF, ronéo.

PELZ, M. (1977). — *Pragmatik und Lernzielbestimmung im Fremdsprachenunterricht,* Heidelberg, Quelle et Meyer.

PETERSEN, H. (éd.) (1975). — *Grundsatzfragen der neusprachlichen Didaktik, Der fremdsprachliche Unterricht* n° 33.

PFAFF, H. (1983). — *Dialogregeln im Unterricht,* Berne, Lang.

PIEPHO, H.-E. (1974). — *Kommunikative Kompetenz als übergeordnetes Lernziel im Englischunterricht,* Dornburg-Frickhofen, Frankonius.

PIEPHO, H.-E. (1978). — « Ableitung und Begründung von Lernzielen im Englischunterricht », in EDELHOFF C. (éd.) : *Kommunikativer Englischunterricht,* Munich, Langenscheidt-Longman, pp. 6-22.

PORCHER, L. (1975). — « Questions sur les objectifs », *Le Français dans le Monde* n° 113, pp. 9-12.

PORCHER, L. (1976). — « Monsieur Thibault et le Bec Bunsen », *Études de linguistique appliquée* n° 23, pp. 6-17.

PORCHER, L. (1977a). — « Note sur l'évaluation », *Langue Française* n° 36, pp. 110-115.

PORCHER, L. (1977b). — « Une notion ambiguë : les besoins langagiers », *Les Cahiers du CRELEF* n° 3, pp. 1-12.

PORCHER, L. (1978). — « Interrogations sur le public, la langue, la formation », *Études de linguistique appliquée* n° 30, pp. 5-17.

PORCHER, L. (1980a). — *Interrogations sur les besoins langagiers en contextes scolaires,* Strasbourg, Conseil de l'Europe.

PORCHER, L. (1980b). — *Petit guide d'emploi pour l'adaptation de « Un niveau-seuil » pour les contextes scolaires,* Strasbourg, Conseil de l'Europe.

PORCHER, L. et al. (1980). — *Adaptation de « Un niveau-seuil » pour des contextes scolaires,* Strasbourg, Conseil de l'Europe ; rééd. (1982) : Paris, Hatier.

PORCHER, L. (1981). — « Incertitudes subjectives sur la linguistique et la didactique », in RICHTERICH et WIDDOWSON (éds), pp. 19-32.

PORCHER, L. (éd.) (1982). — *Identification des besoins langagiers de travailleurs migrants en France,* Strasbourg, Conseil de l'Europe ; Saint-Cloud, CREDIF, ronéo, 134 p.

PORCHER, L. (1983). — « Migrant Workers Learning French in France : A Practical Experiment », in RICHTERICH (éd.), pp. 14-23.

POSTIC, M. (1977). — *Observation et formation des enseignants,* Paris, P.U.F.

PY, B. (1980). — « Quelques réflexions sur la notion d'interlangue », *TRANEL* 1, pp. 31-54.

Q QUETZ, J. et al. (1981). — *Fremdsprachen für Erwachsene,* Berlin, Cornelsen et Oxford University Press.

R RAASCH, A. (1978). — « Objectifs d'apprentissage et inventaires linguistiques », *Études de linguistique appliquée* n° 31, pp. 29-43.

RADOWSKI, G.-H. de (1980). — *Les jeux du désir,* Paris, P.U.F.

RICHTERICH, R. (1973). — « Modèle pour la définition des besoins langagiers des adultes », in TRIM et al., pp. 35-66.

RICHTERICH, R. (1975). — « L'analyse des besoins langagiers. Illusion-Prétexte-Nécessité », *Éducation et Culture* n° 28, pp. 9-14.

RICHTERICH, R. et CHANCEREL, J.-L. (1977). — *L'identification des besoins des adultes apprenant une langue étrangère,* Strasbourg, Conseil de l'Europe ; rééd. (1980) : Paris, Hatier.

RICHTERICH, R. (1979). — « L'antidéfinition des besoins langagiers comme pratique pédagogique », *Le Français dans le Monde* n° 149, pp. 54-58.

RICHTERICH, R. (1981). — « Table ronde sur les préoccupations actuelles de chercheurs européens en didactique des langues », *Bulletin de l'ACLA* n° 3/2, pp. 197-200.

RICHTERICH, R. et WIDDOWSON, H.-G. (éds) (1981). — *Description, présentation et enseignement des langues,* Paris, CREDIF/Hatier.

RICHTERICH, R. (1982a). — « Le projet "langues vivantes" du Conseil de l'Europe », *Éducation et recherche* n° 1, pp. 81-89.

RICHTERICH, R. (1982b). — « L'environnement institutionnel : occupations pour un bon usage des institutions », *Le Français dans le Monde* n° 171, pp. 26-30.

RICHTERICH, R. (1983). — « Introduction », in RICHTERICH (éd.), pp. 1-13.

RICHTERICH, R. (éd.) (1983). — *Case Studies in Identifying Language Needs,* Oxford, Pergamon Press ; version française à paraître : Strasbourg, Conseil de l'Europe.

RICHTERICH, R. et SUTER, B. (1983). — *Cartes sur table 2,* Paris, Hachette.

ROBINSON, P. (1980). — *ESP (English for Specific Purposes) : The Present Position,* Oxford, Pergamon Press.

ROE, P.-J. (1981). — « Une réévaluation de l'évaluation ou "le coucou dans le nid" », *Le Français dans le Monde* n° 165, pp. 33-38, 47.

ROLINGER, H. et al. (1976). — *Études Françaises. Cours de base 1. Elemente zur Unterrichtsplanung,* Stuttgart, Klett.

ROULET, E. (1976). — « L'apport des sciences du langage à la diversification des méthodes d'enseignement des langues secondes en fonction des caractéristiques des publics visés », *Études de linguistique appliquée* n° 21, pp. 43-80.

ROULET, E. (1977). — *Un niveau-seuil. Présentation et guide d'emploi,* Strasbourg, Conseil de l'Europe.

ROULET, E. (1980). — *Langue maternelle et langues secondes. Vers une pédagogie intégrée,* Paris, CREDIF/Hatier.

ROULET, E. (1981a). — « Échanges, interventions et actes de langage dans la structure de la conversation », *Études de linguistique appliquée* n° 44, pp. 8-39.

ROULET, E. (éd.) (1981b). — *Analyse de conversations authentiques, Études de linguistique appliquée* n° 44.

ROUSSON, M. et BOUDINEAU, G. (1977). — *L'étude des besoins de formation. Réflexions théoriques et méthodologiques,* Neuchâtel, Université de Neuchâtel, Centre de Psychologie, ronéo, 78 p.

RUBIN, J. (1981). — Study of Cognitive Processes in Second Language Learning », *Applied Linguistics* n° 2/2, pp. 117-130.

RUBIN, J. et THOMPSON, J. (1982). — *How to Be a More Successful Language Learner,* Boston, Heinle et Heinle.

S SAFÉRIS, F. (1978). — *Une révolution dans l'art d'apprendre,* Paris, Laffont.

SAPIN-LIGNIÈRES, B. (1983). — « A Method of Research into Needs Applied to Teachers of French in Northern Greece », in RICHTERICH (éd.), pp. 97-105.

SAVARD, J.-G. (1977). — *Bibliographie analytique de tests de langues,* Québec, Les Presses de l'Université Laval.

SCARCELLA, R.-C. et KRASHEN, S.-D. (éds) (1980). — *Research in Second Language Acquisition,* Rowley, Newbury House Publishers.

SCHÄRER, R. (1983). — « Identification of Learners' Needs at Eurocentres », in RICHTERICH (éd.), pp. 106-116.

SCHMIDT, R.-W. et RICHARDS, J.-C. (1980). — « Speech Acts in Second Language Learning », *Applied Linguistics* n° 1/2, pp. 129-157.

SCHRÖDER, K. et al. (1979). — *Fremdsprachen in Handel und Industrie,* Königstein, Scriptor.

SCHRÖDER, K. (éd.) (1980). — *Geschichte des Fremdsprachenunterrichts, Die neueren Sprachen* n° 79/2.

SCHWEIZERISCHE KONFERENZ DER KANTONALEN ERZIEHUNGSDIREKTOREN (1976). — *Empfehlungen und Beschlüsse betreffend Einführung, Reform und Koordination des Unterrichts in der zweiten Landessprache für alle Schüler während der obligatorischen Schulzeit,* Genève, Sekretariat EDK.

SGAV (1977). — *La méthodologie SGAV face au problème du niveau-seuil,* IVe colloque international, *Revue de Phonétique appliquée* n° 41.

SINCLAIR, J.-McH. (éd.) (1980). — *Applied Discourse Analysis, Applied Linguistics* n° 1/3.

SINCLAIR, J.-McH. et BRAZIL, D. (1982). — *Teacher Talk,* Oxford, Oxford University Press.

SLAGHTER, P.-J. (1979). — *Un nivel-umbral,* Strasbourg, Conseil de l'Europe.

STEVICK, E.-W. (1980). — *Teaching Languages. A Way and Ways,* Rowley, Newbury House Publishers.

STONES, E. (1973). — *Introduction à la psychopédagogie,* Paris, Les Éditions ouvrières.

T TARONE, E. (1980). — « Communication Strategies, Foreigner Talk, and Repair in Interlanguage », *Language Learning* n° 30/2, pp. 417-431.

TARONE, E. (1981). — « Some Thoughts on the Notion of Communication Strategy », *TESOL Quarterly* n° 15/3, pp. 285-295.

TITONE, R. (1980). — « Dove va la linguistica applicata ? Sintomi di crisi e prospettive risolutive », *Rassegna italiana di linguistica applicata* n° 12/2, pp. 143-151.

TRIM, J.-L.-M. et al. (1973). — *Systèmes d'apprentissage des langues vivantes par les adultes,* Strasbourg, Conseil de l'Europe.

TRIM, J.-L.-M. (1973). — « Projet d'esquisse d'un système européen d'unités capitalisables pour l'apprentissage des langues vivantes par les adultes », in TRIM et al., pp. 17-32.

TRIM, J.-L.-M. (1979). — *Des voies possibles pour l'élaboration d'une structure générale d'un système européen d'unités capitalisables pour l'apprentissage des langues vivantes par les adultes,* Strasbourg, Conseil de l'Europe.

TRIM, J.-L.M. (1981). — « Spécification des objectifs de l'apprentissage des langues. c. Vers un cadre élargi pour la définition des objectifs de l'apprentissage des langues », in CONSEIL DE L'EUROPE, pp. 30-36.

TYLER, R.-W. (1950). — *Basic Principles of Curriculum and Instruction,* Chicago, University of Chicago.

U UHLIG, W. et al. (1961). — *Wir sprechen Deutsch I,* Lausanne, Payot.

V VALETTE, R.-M. (1977). — *Modern Language Testing,* New York, Harcourt Brace Jovanovich, 2e éd.

VALETTE, R.-M. et DISICK, R.-S. (1972). — *Modern Performance Objectives and Individualization. A Handbook,* New York, Harcourt Brace Jovanovich.

VAN DETH, J.-P. (1981). — « Les conclusions du colloque du CIREEL », *Les langues modernes*, n° 5-6, pp. 641-644.

VAN EK, J.A. (1973). — « Niveau-seuil dans un système d'unités capitalisables », in TRIM et al., pp. 95-135.

VAN EK, J.-A. (1975). — *The Threshold Level,* Strasbourg, Conseil de l'Europe ; rééd. (1980) : Oxford, Pergamon Press.

VAN EK, J.-A. (1977). — *The Threshold Level for Modern Language Learning in Schools,* Londres, Longman.

VAN EK, J.-A. et ALEXANDER, L.-G. (1977). — *Waystage,* Strasbourg, Conseil de l'Europe ; rééd. (1980) : *Waystage English,* Oxford, Pergamon Press.

VAN EK, J.-A. (1981). — « Spécification des objectifs de communication. a. The Threshold Level », in CONSEIL DE L'EUROPE, pp. 14-23.

VAN PASSEL, F. (1970). — *L'enseignement des langues aux adultes,* Paris, Nathan ; Bruxelles, Labor.

VIGNER, G. (1980). — *Didactique fonctionnelle du français,* Paris, Hachette.

W WATZLAWICK, P. (1972). — *Une logique de la communication,* Paris, Seuil.

WATZLAWICK, P. et WEAKLAND, J.-H. (1981). — *Sur l'interaction,* Paris, Seuil.

WATZLAWICK, P. et al. (1981). — *Changements,* Paris, Seuil, Coll. Points.

WIDDOWSON, H.-G. (1980). — *Strategies for Discourse Processing,* Strasbourg, Conseil de l'Europe, ronéo, 33 p.

WIDDOWSON, H.-G. (1981a). — « Les fins et les moyens d'un enseignement de l'anglais en vue d'objectifs spécifiques », *Études de linguistique appliquée* n° 43, pp. 8-21.

WIDDOWSON, H.-G. (1981b). — *Une approche communicative de l'enseignement des langues,* Paris, CREDIF/Hatier ; trad. de (1978) : *Teaching Language as Communication,* Oxford, Oxford University Press.

WILKINS, D.-A. (1973). — « Contenu linguistique et situationnel du tronc commun d'un système d'unités capitalisables », in TRIM et al., pp. 137-154.

WILKINS, D.-A. (1974). — *Second-Language Learning and Teaching,* Londres, Arnold.

WILKINS, D.-A. (1976). — *Notional Syllabuses,* Oxford, Oxford University Press.

WILKINS, D.-A. (1981a). — « Notional Syllabuses Revisited », *Applied Linguistics* n° 2/1, pp. 83-89.

WILKINS, D.-A. (1981b). — « Notional Syllabuses Revisited : A Further Reply », *Applied Linguistics* n° 2/1, pp. 96-100.

WINKIN, Y. (éd.) (1981). — *La nouvelle communication,* Paris, Seuil.

Z ZURFLUH, J. (1976). — *Les tests mentaux,* Paris, Delarge.

IMPRIMERIE AUBIN, 86240 LIGUGÉ
Dépôt légal n° 0312-4-1985. — Impr., L 19842
Collection n° 21 — Édition n° 01

15/4621/7